改訂版

最短10時間で9割とれる 共通テスト現代文のスゴ技

宮下 善紀
Yoshinori Miyashita

＊本書は、2021年に小社より刊行された『最短10時間で9割とれる共通テスト現代文のスゴ技』に最新の学習指導要領と出題傾向に準じてより手厚く解説するなどの加筆・修正を施し、令和７年度以降の大学入学共通テストに対応させた改訂版です。

はじめに

先日テレビを観ていたら、こんなクイズが出題されていました。

「歴史上、虫歯が原因で死んだ人間がいる。　◎か？　×か？」

……考えるまでもありません。正解は「◎」に決まっています。

だって、正解が「×」なんて証拠VTRを、テレビ局が用意できるわけないでしょ？

《虫歯が原因で死んだ人間は一人もいない（＝×！）》という命題を証明するためには、全人類の死因を一人残らず調べなければならないし、それは現実的に不可能です。したがって、正解は「◎」以外にあり得ないのです。

この本は、そうした**カシコイ「頭の動かし方」を鍛える参考書**です。

私は共通テスト現代文で、必ず満点をとります。今年も、来年も、再来年もです。

それは、私が山ほど本を読んでいるからではなく、頭が良いからでもなく、顔がカッコイイからでもなく、「頭の動かし方」が上手だからです。

「え？　10時間で9割？　……うさん臭〜い！」

……わかりますわかります（笑）。まさか「国語」が、そんな短期間で伸びるわけありませんよね！　だって、「国語」だもんね！　そんなことできたら、誰も苦労しませんよね！

本書は残念ながら、「真の国語力（？）」を0から100まで引きあげる本ではありません。あくまでも**「共通テスト現代文」で9割とれるメカニズム――を、10時間かけて楽しくわかりやすく説明する参考書**です。

もちろん、学んだ技術（メソッド）を定着させるためには、**10時間「＋α」の反復練習**（問題演習）が欠かせません。でも、方法論がしっかり身についた頃には、「共テ現代文を解く」という作業の意味と効率が、まったく別次元に変化しているはずです。

令和7年度より、また新しい共通テストがスタートします。まだまだ情報不足で正体不明のテストですが、私なりに、今伝えられる最善の戦術を本書に詰め込みました。

さすがに今からじゃ間に合わない、とあきらめかけているキミ。現代文は「運ゲー」だからしょうがない、と開き直っているキミ。たまたま8割とれた思い出を「実力」だと言い聞かせ、現実から目を背けているキミ。**本番で、本当に9割とって、友達や家族や先生をマジでビックリさせてみませんか**？　たったの10時間で「奇跡」を……いいえ、「必然」の結果を勝ちとりましょう！　この本が、キミにとって特別な出会いになることを願っています。

現代文講師　宮下善紀

目次

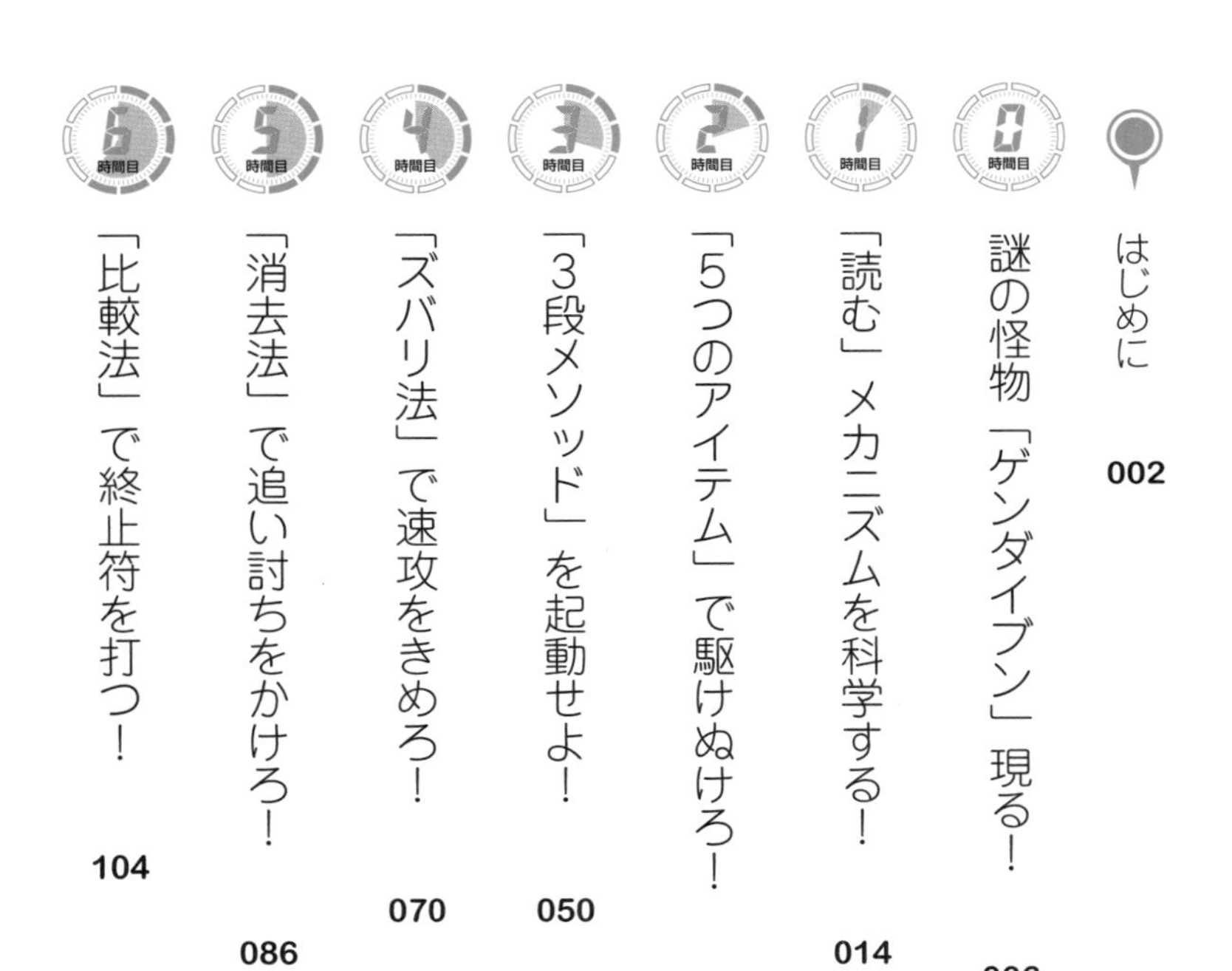

本文イラスト：たはらひとえ
アイコンイラスト：宮下ぽぷら

突然ですが、「現代文」についてキミが共感できる項目をチェックしてみてください!

Ex UP 緊急アンケート 「現代文って、どんな科目?」

□①「勉強すれば伸びる……という気がしない。」
□②「最後はセンスとか直感で決めるしかない。」
□③「0点にはならないが、満点は永久にムリ。」
□④「点がとれる時ととれない時の波が大きい。」
□⑤「答えが1つとは限らないから、ムカつく。」
□⑥「2つまで絞って、いつも最後に間違える。」
□⑦「最後はいつもギリギリで時間が足りない。」
□⑧「本とかあんまり読んでないから、ヤバい。」

どうでしたか？　ちなみにこの8項目は、私が受験生のときに抱いていた「現代文」に対する印象です。５つ以上チェックした人は……私と気が合うかもしれません！
勉強しなくても「**まあまあ」とれちゃう**現代文。勉強しても「**そこそこ」以上はとれない**現代文。そんな〝謎の科目〟現代文で、９割とるのがわれわれの目標です！
敵を倒すためには、まず、敵の正体を〝知る〟ことが必要です。

「知ること」＝「分けること」。「分けること」＝「わかること」！

では早速、謎の怪物「ゲンダイブン」を、丸ハダカにしてやりましょう！　ウシシシシ。

謎の怪物「ゲンダイブン」

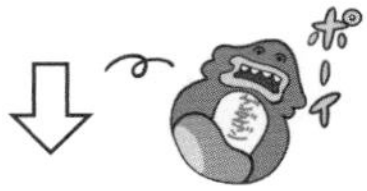

しかしその正体は……

《**本文**》＝「読む」／《**設問文**》＝「解く」／《**選択肢**》＝「選ぶ」

3種類の文に対して、3種類の違う作業が要求されていたわけです。どうりで難しいわけだ。

「現代文＝読解力！」なんて、短絡的に考えている人も多いですが、「読む」作業と「解く」作業と「選ぶ」作業は、明らかにタイプが違います。

「読めれば自動的に解ける！」ってほど、現代文は単純ではないし、
「解ければ自動的に選べる！」ってほど、現代文は簡単ではありません！

もちろん、本文をちゃんと「**読めていない**」から、解けないのかもしれません。

でも実際は、そこそこ読めているけど、ちゃんと「**解けていない**」のかもしれないよ？

あるいは、ちゃんと解けているくせに、うまく「**選べていない**」だけかもしれないよ？

「読む」「解く」「選ぶ」…3つの作業に**きちんと分け**、**順番にレベルアップしていこう**！

これが本書の基本コンセプトです。タイムリミットは10時間。各章で武器（アイテム）を手に入れ、技術（スキル）を磨き、謎の怪物「ゲンダイブン」の完全征服を目指しましょう！

10時間の「現代文探求の旅（クエスト）」に旅立つキミたちへ

冒頭のアンケートですが、現在の私なら、すべての項目を「ノーチェック×」にします。

……それはなぜか？　これから10時間のクエストへ旅立つキミへメッセージを込めて、8項目1つひとつに回答してまいります。

□①「勉強すれば伸びる……という気がしない。」×

⬇これは、学校の「国語」と入試の「現代文」とを混同したところからくる偏見です。

学校の「国語」＝
- 既読の教科書から出題される。（試験範囲アリ）
- 豊かな「感受性」や自由な「表現力」の育成を目指す教育。

入試の「現代文」＝
- **未読の文章**をその場で読解する。（試験範囲ナシ）
- 設問に対する、**たった1つの「正解」**を答える作業。

「国語」と「現代文」は、まったくの別種目なのです。「国語」は小学校からすでに10年間も勉強してきていますが（超ベテランだね）、「現代文」の本格的な勉強は、ようやく今からスタートする、と考えたら……**キミにはメチャクチャ伸びシロがあるわけです！**

□②**「最後はセンスとか直感で決めるしかない。」**×

⬇入試科目のなかで現代文だけが、センスとか直感とか霊感といった、謎のオカルト・パワーを測定するテストであるはずはありません。とくに共通テスト現代文は、国語よりも算数に近い科目だと思います。「公式（メソッド）」を使って手順通りに処理していけば、**誰でも必ず同じ正解にたどり着ける（はず）**！　現代文は、**論理的な「パズルゲーム」**なのです。

□③**「0点にはならないが、満点は永久にムリ。」**×

⬇暗記系科目の「答え」は、キミの《頭の中》に〝ある〟か〝ない〟かの勝負になります。つまり、本当に全部暗記してしまえば満点がとれるわけですけど、逆に覚えてなきゃアウト。それに対して、**現代文の「答え」は、目の前の《本文中》に必ず〝ある〟**のです。必ずです！　それってつまり、現代文こそ全員に平等に満点のチャンスがある、大サービスのラッキー科目だということ。むしろ満点を狙わなきゃ、超もったいない！

□④**「点がとれる時ととれない時の波が大きい。」**×

⬇「②か④か……。ここは②！　いや④！　逆に②？　あえて④？」……２つの選択肢で迷った場合の正解確率は、基本的に50％です。４問で迷ったら、２勝２敗になるのが普通です。得点の「波」の正体は、**運良く多めに当たったとき**（**3勝1敗?**）と、**運悪く多めに外れたとき**（**1勝3敗?**）**の差**でしかありません。ところで、どんなスポーツも、まずはしっかり「フォーム」を固めることが肝要ですよね。現代文も同様に、「**読む手順**」「**解く手順**」「**選ぶ手順**」をきちんと固定することにより、**得点力は高いレベルで安定する**のです。

□⑤**「答えが1つとは限らないから、ムカつく。」**×

⬇ここは潔く、「答えは1つしかない！」というところから逆算していきましょう。答えが1つしかないということは、そこには必ず「**根拠**」があるはずです。**根拠のない選択肢に、正解の権利はない**のです！　極論すれば、「答え」を決めることよりも、むしろ「答えの根拠」を探すのが、現代文を解くことの本質だといえます。

□⑥**「2つまで絞って、いつも最後に間違える。」**×

⬇せっかく2つの選択肢にまで絞って、最後の最後に間違えてしまうということは……**2つに絞ったところからが、本当の勝負の始まり**なんじゃないですか？　「おしい〜」「くやしい〜」なんて言葉でごまかしてはいけません。きちんと最後まで選びきる、「**高い技術力**（**3段メソッド**）」と「**強い精神力**（**プライド**）」を育んでいきましょう。

□⑦**「最後はいつもギリギリで時間が足りない。」**×

⬇速度に自信がない人も、まずは本書をじっくり読みこんでください。攻略の手順（3段メソッド）を身につければ、「解くスピード」は自然と上がります。その後は、過去問を使ってタイム・トライアルを繰りかえしましょう。ちなみに［①**実用文10分**↓②**漢文15分**↓③**文学文**（**小説**）**20分**↓④**論理文**（**評論**）**25分**↓⑤**古文20分**］これが、おすすめの攻略スケジュールです。例えば「評論」の場合、本文を7分で読んだら、残りは18分ですから、**《一問＝3分》**が基準となります（「小説」はもっとキビシイ！）。**通過タイムを計測しながら、時間内に解ききるスピード感を体得**してください！

□⑧**「本とかあんまり読んでないから、ヤバい。」**×

⬇「読むスピード」は、**読書量**と、そこで培われる**語彙力**によって磨かれます。本書では巻末資料として『現代文重要単語』を掲載しております。全部暗記したら、**約30冊分の読書量を一気にカバー**できます。本編と併行し、10時間以内に詰めこんでください（『マーク式頻出漢字』もね）。読解の速度と精度が、劇的に変化することを実感できるはずです！

さあ、心の準備はいいですか？　**伝説の10時間クエスト**へ、いざ出発です！

本書の特徴と、有効な使い方

本書は、**共通テスト現代文で9割以上とるための「方法」を、最短10時間で習得できる参考書**です。フィギュアスケートにたとえると、10時間で「トリプルアクセルの跳び方」を教えるような本です。この本に書かれている通りに実行すれば、誰でも必ずトリプルアクセルが跳べるようになるのです！　ただし、本番のオリンピックのリンクで完璧に成功させるためには、**反復練習**が必要です。

本書も読破したあと、共テやセンターの過去問、予備校の予想問題（パック）などを解きまくり、メソッドの完全定着を目指してください。最初はあまり時間を気にせず、本書で学んだ**メソッドをきちんと運用することを最優先**して解きましょう。すなわち、**ゆっくりでよいから完璧に満点をとる練習**をするのです（ここで70％を下回るようであれば、本書をもう一度最初から読み直しです！）。ある程度の手応えをつかんだら、いよいよタイム・トライアル。**【論理文＝25分／文学文＝20分／実用文＝10分】**を基準に、各設問の通過タイムを計りながら、**制限時間内に解き終わるペースを身体で覚えましょう**。限られた時間のなかで、最高のパフォーマンスを発揮してください。

さて、新課程となり、スタイルが大きく変更された「共通テスト国語」ですが、「選択肢問題を解く」という点においては、大きく変わりません。したがって本書では、センターや共テの良問・難問を使って**「読み方・解き方の基本」**を学び、そこへ共通テストならではの**「新傾向への対策」**をプラスしていきます。

- 1～2　評論・小説の「読み方」（線引きアイテム）
- 3～6　選択肢問題の「解き方」（3段メソッド）
- 7～9　「文学的文章」「実用的文章」の攻略法
- 10　「最終問題」の攻略法

最後に……いつも7割ぐらい取れている人が、「あと2割分プラスすれば9割だ！」と考えるのは危険です。現代文は暗記科目ではないので、足し算では成長していきません。例えば、どんなに頑張っても構造的に最速70キロまでしか出ないバイクは、エンジンを丸ごと載せ替えない限り、時速90キロは出せません。部分的に「良いトコ取り」するような読み方ではなく、**やるんだったら本書を100％信じて、真剣に取り組んでください！**　なお〝9割ボディ〟への魔改造に要する時間が最短10時間なのです。

「読む」メカニズムを科学する！

そもそも「読解力」って、何やねん

受験勉強に疲れはて、おもむろにイスから立ちあがり、用もないのに近所のコンビニまでフラフラと出かけてしまう力……あ、これは「どっか行く力（りょく）」だった！　ぐは！

「**読解力**」とは、「**文章を読んで、その意味・内容を正しく理解する力**」のことです。これは本来、日々の読書のなかで徐々に培われていく能力ですから、単純に……

「読解力の高い人」≒「本をたくさん読んでいる人」

ということが言えそうです。「**やべー、まともに読んだのハリポタだけだ！**」というキミ、残念ながら、出遅れまくりです。とはいえ、今から毎日読書習慣を身につけるなんて、精神的にも肉体的にも余裕のないキミに、果たして逆転のチャンスはあるのでしょうか……？

「読解力の高い人」たちと勝負するために、そもそも彼らはいったいどんなところがスゴいのか？　その能力を分析してみましょう。

「読解力の高い人」とは、本文の内容を「正確に」「高速で」「上手に」**読むことができる人**です。そういった能力を、本も読まずに？　短期間で？　なるべくラクして手に入れたい？

いやいやいや、さすがにそんな虫のいい話が……あるんです。あるっちゃあ、あるんです！

それはズバリ！「現代文重要単語」**の暗記**と、「線引き」**の技術マスター**です！

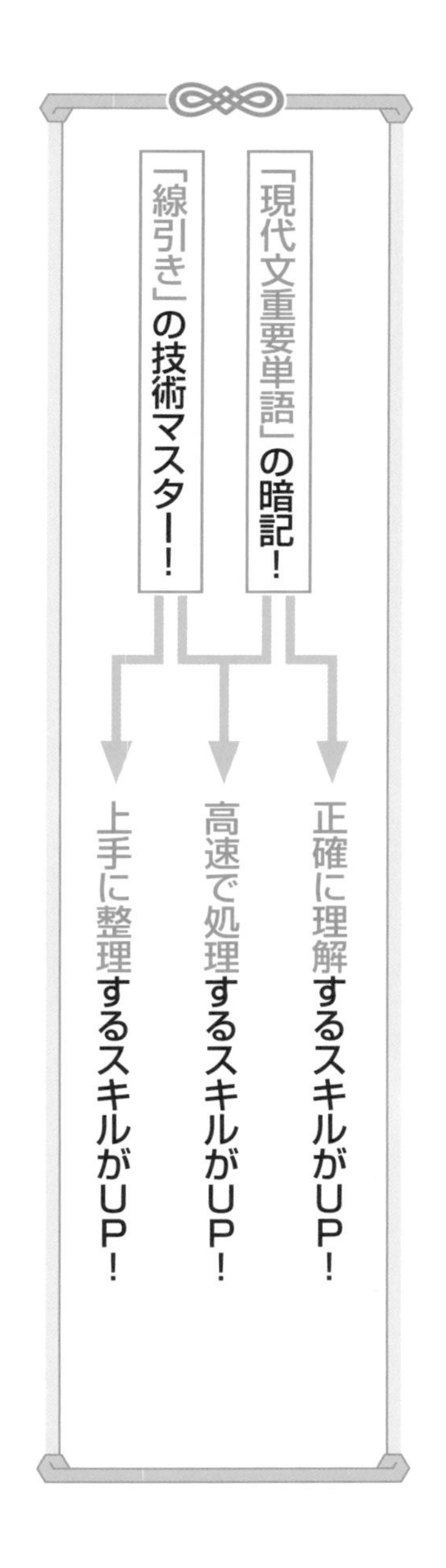

難しい「文章」も、所詮は「語句」の集まり

まず「現代文重要単語」のお話から。

入試で扱われる評論の多くは、高校生に読んでもらうためにわかりやすく書かれた文章ではありません。評論家や大学教授が、大人の読者に向けて書いた……いわば「意識高い大人の・意識高い大人による・意識高い大人のための文章」ですから、なんだかムズカシイ語句や抽象的な表現が、これ見よがしにポコポコ登場してくるわけです。

そうしたいわゆる「現代文重要単語」を「なんとな～く」で読んでいると、積もり積もって、**本文全体も「なんとな～く」のレベルでしか読解できない**のです。

「語句」をきちっとインプットすれば、**読解の「速度」と「精度」は同時に、確実にレベルアップします**！　そんなこと、英単語や古文単語で経験済みでしょ？

難しい「文章」も、所詮は短い「文」の集まりです。**難しい「文」も、所詮は小さい「語句」の集まり**です。巻末資料の「マーク式頻出漢字」と「現代文重要単語」を10時間以内に丸暗記してください。文章を読む〝次元〟の変化を実感するはずです。

現代文「最重要単語」セレクション

現代文重要単語のなかでも、「これを知らなきゃ受験する資格ナシ！」といえる、Sランクの5項目をセレクトしました。いずれも論理展開の〝基軸〟となる特別な語句です。「だいたい知ってる」程度じゃ通用しません。しっかり読みこみ、「誰かに説明してあげたくなる」ぐらい完璧に理解した頃には、**読解力に一本の太い芯が通る**はずです。

《1》「観念」／「概念」

【観念】＝物事に関して、頭の中に抱く考え・イメージ。

【概念】＝物事のだいたいの意味（考え）を、言葉で表したもの。

○桜に関する主観的なイメージ（春・入学式・森山直太朗など）＝**【桜の観念】**

○「バラ科サクラ属の落葉高木の総称」といった、辞書的な定義＝**【桜の概念】**

※【観念的】＝頭の中だけで考え、現実に即していないさま。

※「観念」「概念」とも、「物事に関する考え」という意味では共通して使われる。「時間の――」

《2》「絶対」⇔「相対」

【絶対】＝他とは関係なく、それ自体で成立すること。

【相対】＝他との比較・関係において、成立すること。

○「私は、いつか必ず死ぬ」⬇他者と比べなくても、単独で成立する事柄＝**【絶対】**

○「私は、現代文が得意だ」⬇他者や他教科と比べて初めて成立する事柄＝**【相対】**

※【相対化】＝1つを絶対視せず、比較できる状態へと「**それぞれ横並び化**」すること。

※【文化相対主義】＝諸文化を、それぞれ独自の価値体系を持つ対等な存在として捉える態度。

《3》「普遍」⇔「特殊」

【普遍】＝時間空間を超えて、すべてに共通であること。広く行きわたっていること。

【特殊】＝他と異なること。個々それぞれの事情やあり方。

※なお、「普遍」と「特殊」は単なる対立概念ではない。例えば、「**食べること**」自体は人間にとって「普遍的」なことだが、「**食文化**」にはそれぞれ「特殊」な部分がある。さらには「**グローバル化**（**普遍化**）**に対する**、**地域性や個性**（**特殊性**）」といった、相関関係で捉える必要がある。

《4》「主観」⇕「客観」

【主観】＝その人独自の、事物の見方・考え方。
【客観】＝主観から独立し、誰もがそうだと納得できる、事物の見方・考え方。

○「このお湯は、結構ぬるい」⬇その人だけの、物の見方・考え方＝【主観】
○「このお湯は、摂氏38度だ」⬇誰もが納得できる、数値やデータ＝【客観】

《5》「具体」⇕「抽象」

【具体】＝事物が明確な形態を備えていること。

【抽象】＝それぞれの特殊な要素は切りすて（＝捨象）、事物から共通点だけを抜きだし、大雑把にまとめる（＝概念化する）こと。

※【具体的】＝形がはっきりしているさま。実体が明確に存在しているさま。
※【抽象的】＝大雑把で形がはっきりしないさま。現実性を欠いているさま。

抽象的 ⇕ 具体的
動物▼哺乳類▼犬▼チワワ▼ハナちゃん

ここまでしっかり理解できたら、次の**ミッション01**に挑戦です！

ミッション01

次の文章を読んで、後の問いに答えよ。

制限時間 4分

　科学は具体的な経験の一面を抽象し、抽象化された経験は、他の同類の経験と関係づけられて分類される。このように抽象化され、分類された経験は、原則として、一定の条件のもとでくり返されるはずのものである。したがって科学は、法則の普遍性について語ることができるのである。たとえば一個の具体的なレモンは、その質量・容積・位置・運動等に還元されることによって、（その他の性質、たとえば色や味や産地や値段を捨象されることによって）、力学の対象となり、またその効用や生産費や小売価格などに還元されることによって、（その他の性質、たとえば位置や運動量などを捨象されることによって）、経済学の対象となる。力学や経済学は、具体的なレモンについてではなく、抽象化された対象について、その対象が従う法則をしらべるのである。

　文学は具体的な経験の具体性を強調する。具体的な経験は、分類されることができない、またけっしてそのままくり返されることもない。分類の不可能な、一回かぎりの具体的な経験が、文学の典型的な対象である。梶井基次郎の「レモン」の経験は、その色、その肌触り、その手に感じられる重みのすべてにかかり、それを同じ質量の石によって換えることもできないし、それを同じ値段の他のレモンで換えることもできない。彼が必要としたのは、レモン一般ではなくて、いわんや固体一般でも、商品一般でもなくて、そのレモンである。そしてその日、そのところで、そのレモンによる経験は、たとえ同じレモンによっても、別の日、別のところで、ふたたび経験されることのないものである。すなわちその経験に関して、法則をつくることができないのは、いうまでもない。そのレモンのそのレモンたる所以にもとづく経験——具体的で特殊な一回かぎりの経験は、科学の対象にはならない。まさに科学が成りたたぬところにおいて、文学が成りたつのである。文学の表現する経験は、科学の扱う対象から、概念上、はっきりと区別することができる。

（加藤周一『文学とは何か』による）

問 傍線部「まさに科学が成りたたぬところにおいて、文学が成りたつのである」とあるが、なぜそのようにいえるのか。その説明として最も適当なものを、次の①〜⑤のうちから一つ選べ。 難易度★☆☆☆

① 文学は経験の抽象化にかかわるものであって、法則化された普遍的な科学とはまったく無関係なものである。

② 文学にとって重要なのは経験の個別性、特殊性であり、それは科学的抽象化、法則化とは相反するものである。

③ 文学的立場からは、この世に同じレモンは存在しないが、科学的見地からは、全てのレモンは同じレモンである。

④ 文学は個別的で特殊な経験を表現するものであり、科学のように世界全体と普遍的にかかわるものではない。

⑤ 文学が経験の法則化を通じて追求する人生の真の姿は、科学によっては探究することの不可能な世界である。

「現代文最重要語句」をグループ分けして、完全理解

【科学グループ】		【文学グループ】
絶対	⇔	相対
普遍	⇔	特殊
客観	⇔	主観
抽象	⇔	具体

「主観」は**「絶対」か、「相対」か。**例えば自分が大好きな音楽は、ついつい「絶対良いに決まっている!」と思いがちですが、「自分の好み（＝主観）」は、そもそも「特殊」なものであり、Aさん・Bさん・宮下さん……といった、**横並びのうちの1つの意見**に過ぎません。

したがって、「主観」は「絶対」ではなく「相対」**的なもの**と言えるのです。

それに対して「客観」的に良い音楽とは、いわゆる〝**数字的に売れている音楽**〟として一般に広く支持されているものです。国境を越え、時代を超え、人類全員が「めっちゃいい!」と感じるなら、それは「普遍」的で「絶対」に素晴らしい音楽といえるかもしれません。しかし実際は、モーツァルトでもビートルズでもその領域にまで到達するのは不可能でしょう。

「普遍」と「絶対」は、100%断定的な非常に強い言葉なのです。

科学は「主観」を排除し、「**客観**」的データから「**普遍**」的な法則を導きだします。また、世界に1つだけの「具体」的で「特殊」な〝奇跡の水〟とか〝幻の石〟ではなく、「**抽象的**」な、ただのH_2OとかFeを使用するので、いつ誰がやっても「**絶対**」同じ実験結果が出るのです。こうした説得力の強さで、科学は世界中へと広まりました。それに対し、文学も芸術も宗教も恋愛も……**われわれを取りまく価値観の多くは、「主観」的で「相対」的なものに過ぎません。**だから科学は、個人の恋の悩みは解決できないのです。

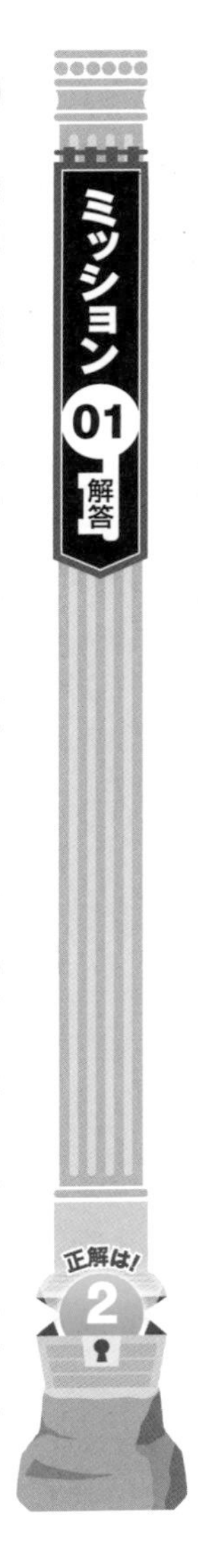

①は「**文学＝経験の抽象化にかかわる**」が×。文学は「具体性」に注目するのです。

②は「**文学＝個別性・特殊性**（＝**一回かぎり**）」「**科学＝抽象化・法則化**」ということで、対比構造はバッチリ。これが正解！

③は「**科学＝全てのレモンは同じレモン**」が断定で×。例えば力学では、120gと130gのレモンは別物だし、経済学では、中国産と広島産のレモンは別物です。

④は「**科学＝世界全体と普遍的にかかわる**」が、ここではナシで×。

⑤は「**文学＝経験の法則化を通じて……**」が×。「法則化」は科学側のキーワードです。

キミは、読む派？　読まない派？

《パターンA》本文を全部読む派（スピード★　確実性★★★）
＝先に本文を全部読み、問1から順番に設問を解いていく。

《パターンB》読みながら解く派（スピード★★　確実性★★）
＝読んでいる途中で傍線部がきたら、その都度設問を解く。

《パターンC》解きながら読む派（スピード★★★　確実性★）
＝真っ先に設問を読み、傍線部前後の情報から設問を解く。

ところで、キミはいつも右のどのパターンで共テ現代文を解いていますか？
ちなみに私は、「共通テスト」や「私大現代文」は《パターンA》で、「国公立2次試験（記述型）」は《パターンC》で解いています。なぜなら、前者がぜひ「**満点を狙いたいテスト**」なのに対し、後者はあえて「**満点を狙わなくてもいいテスト**」だからです。あらためて……

共テ現代文は、《パターンA》で解くことを推奨いたします！！！！

本気で9割超えを目指すなら……**先に本文を全部読む《パターンA》にチャレンジしていただきたい**！　そもそも、本文を通読せずに最終問題（問567）を解くのは、あまりにも勝算が低すぎます。ただ、そうなると課題は「スピード」ってことになりますよね。本書では、コラム「**神業裏技アカデミー**」で、速読・速答の秘訣（ひけつ）を伝授してまいります！

……とはいえ、さすがに「本番まであと1か月切ってる～」って人は、今まで通り自分のパターンを貫いてください。そんなキミには、3つだけアドバイスを送りましょう。

《パターンB・C》で挑む場合の注意点

① **「設問解析」を徹底せよ！**――《パターンB・C》では、設問文が唯一の道標（みちしるべ）です。「この設問では、何を探すのか？」……自分の**任務を小まめに確認しましょう**。

② **「臨機応変」に対応せよ！**――「ここまでで解ける？」「もっと先まで読む？」「いっそ後回しにする？」……設問を解く順番にこだわらず、**柔軟に対応しよう**。

③ **「最終問題」を想定せよ！**――先に最終問題に目を通します。そして、設問（問1～5）を解きながら、本文全体の流れをイメージし、**最終問題に備えましょう**。

本文の「線引き」をマスターせよ

それでは1時間目のメインテーマ、本文の「線引き」をレクチャーしていきます。

共通テストでは今後、「評論」「小説」、さまざまなジャンルの文章が出題される可能性があります。ですから、読解の拠り所として、**「線引き」の基本作法を習得しておく**のは、大変有意義なことだと考えます。普段は〝線なんか引かない派〟の皆さんも、この10時間だけは、「ぬりえ」をするぐらいの気楽さで、前向きに参加してくださいな。

さて、そもそも「線引き」とは何なのか。それは、**本文の「大事な部分」に線を引きながら読んでいく作業**のことです。「大事な部分」をもう少し具体的に説明すると……

【評論（論理的文章）】 筆者の主張［筆者が読者へ伝えたいことに――を引く］
キーワード［読解のポイントとなる語句を◯で囲む］

【小説（文学的文章）】 心情描写［登場人物の考えや心情などに――を引く］
登場人物名［初登場のときだけでいいので◯で囲む］

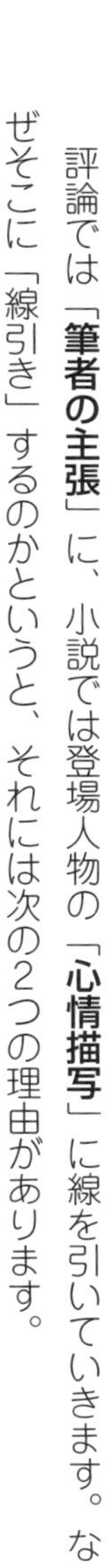

評論では「**筆者の主張**」に、小説では登場人物の「**心情描写**」に線を引いていきます。なぜそこに「線引き」するのかというと、それには次の2つの理由があります。

①効率よく「読む」ため！

「どうでもいい部分」をサクサク読み流し、「要点」を狙って線引きできれば、全体の**論旨や展開が理解しやすくなります。**さらに、2時間目で勉強する「5つのアイテム」を使えば、対比関係や因果関係などの**文章構造も把握しやすくなります。**

②効率よく「解く」ため！

現代文の設問では、キミが本文の内容を、つまり「**筆者の主張**」や「**登場人物の心情**」を正確に押さえられているかどうかを試してきます。すなわち、「線引き」した箇所が、**そのまま解答に直結するという仕組みなのです。**

すなわち、「**線引き**」は……

「読む」ための技術であり、「解く」ための戦術なのである！

……逆に「線引き」をしない理由が、見当たらないよね！

ジャンル別に、ポイントをまとめます。

《「線引き」するポイント》

【実用文】＝筆者が説明すること
【評　論】＝筆者が主張すること
【随　筆】＝筆者が感じたこと
【小　説】＝登場人物が感じたこと
【　詩　】＝作者が感動したこと

【実用文】は、説明文・契約書・取扱説明書など、**日常生活などで実際に用いられる文章**です。とくに強い主張があるわけではないので、「要点をチェックする」というイメージで線引きしてみてください。

【随筆】は、エッセイ・紀行文・書評など、**筆者が日常生活のなかで思ったことを、自由に述べた文章**です。これは「評論」と「小説」の中間ぐらいのイメージで、「筆者の心情描写」に線引きしていけばOKです。

【詩】は「心情的表現」に線を引き、あとは**文字情報としてクールに処理**してください。

要するに、**「評論」と「小説」の線引きさえしっかりマスターすれば、他のどんな文章でも柔軟に対応していける**ということです。ちょっと安心した?

線引きをマスターすると、**読解の「正確さ」だけでなく、「スピード」も上がっていきます**。だから焦らず、習得することだけに集中してください。まさに、急がば線引き。転ばぬ先の線引き。思い立ったが線引き。石の上にも線引き。弘法も筆で線引き。(もういいよ!)

Ex UP

「線引き」マスターへの道

《1》「力が込もった部分」に、力を込めて線を引く！

読者に伝えたい内容は、筆者も気合を入れて書いてきます。そのメリハリを感じとりながら、なんだか力が込もった部分に、力を込めて線を引いてみてください！

……ちょっとバカっぽいアドバイスに見えますが、これがメチャクチャ効果的なトレーニングとなります。目線をシャーペンで追いかけ、あえて〝引きすぎる〟ぐらい、多めにジャンジャン引いてみてください。……馬の耳に線引き（もういいって！）。

《2》「引かない部分」を意識し、スイスイ読み流す！

反対に、線引き不要な部分を理解しましょう。まず「**具体例**」や「**他者の言葉の引用**」などは軽く読み流し。また、わかりきった「**同内容の繰りかえし**」も、丁寧に線引きする必要はありません。そして、筆者と「**反対の考え**（**対立概念⊖**）」を意識的に避けていけば、「筆者の主張」はより明確に浮かびあがります。つまり、段階的に「**線引き**」**を減らす努力**をしてほしいのです。線を「引く箇所（ブレーキ）」と「流す箇所（アクセル）」の差をハッキリつけることで、読解にリズムが生まれてきます。

古来からある神話を、事象の「説明」であると考え、未開の時代の自然科学のように誤解したため、神話や昔話などの価値を近代人はまったく否定してしまった。確かに自然科学によって、自然をある程度支配できるようになったが、それと同じ方法で、自分と世界とのかかわりを見ようとしたため、近代人はユングも指摘するように、貧しい生き方、セカセカした生き方をせざるを得なくなったのである。

もちろん、だからと言ってわれわれはすぐに、プエブロ・インディアン[注1]のコスモロジー[注2]をそのままいただくことはできない。われわれは既に多くのことを知りすぎている。われわれとしては、自分にふさわしいコスモロジーをつくりあげるべく各人が努力するより仕方がないのである。われわれは、エレンベルガーの表現を借りるなら、自分の無意識の神話産生機能に頼らねばならない。しかし、そのことをするための一助として、古来からある神話や昔話を「非科学的」「非合理的」ということで簡単に排斥するのではなく、その本来の目的に沿った形で、その意義を見直してみることが必要であろう。

（河合隼雄『イメージの心理学』による）

（注）1　プエブロ・インディアン――北アメリカ南西部に居住する先住民族の総称。
2　コスモロジー――世界観・宇宙論。

正解例

古来からある神話を、事象の「説明」であると考え、未開の時代の自然科学のように誤解したため、神話や昔話などの価値を近代人はまったく否定してしまった。確かに自然科学によって、自然をある程度支配できるようになったが、それと同じ方法で、自分と世界とのかかわりを見ようとしたため、近代人はユングも指摘するように、貧しい生き方、セカセカした生き方をせざるを得なくなったのである。

もちろん、だからと言ってわれわれはすぐに、プエブロ・インディアンのコスモロジーをそのままいただくことはできない。われわれは既に多くのことを知りすぎている。われわれとしては、自分にふさわしいコスモロジーをつくりあげるべく各人が努力するより仕方がないのである。われわれは、エレンベルガーの表現を借りるなら、自分の無意識の神話産生機能に頼らねばならない。しかし、そのことをするための一助として、古来からある神話や昔話を「非科学的」「非合理的」ということで簡単に排斥するのではなく、その本来の目的に沿った形で、その意義を見直してみることが必要であろう。

5

10

いい感じで引けましたか？ 「線引き」は単純に、回数に比例して上達しますから、今後も積極的に継続してください！ 2時間目では、右の「しかし」「ではなく」など、線引きの完成度を高める**「5つのアイテム」**を紹介していきます。

「5つのアイテム」で駆けぬけろ！

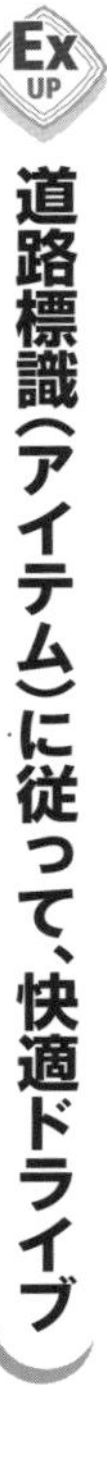

2時間目では、線引きに便利な記号（アイテム）を学習します。接続語を記号化することで、**文章を構造的に捉える力が身につき、筆者の主張も押さえやすくなります。**覚える記号はたったの5つ！　意味・用法を理解して、すぐに使えるレベルまで引きあげましょう。

《1》順接【A→B】原因（A）と結果（B）を、順当につなぐ接続

（だから・したがって・それゆえ・ゆえに・その結果・そのため……など）

雨が降ってきた。▽だから、体育祭は中止になった。

○順接は、上から下へ「内容がワンステップ、前に進む」というイメージで、エレベーターの下行きボタン「▽」で囲みます。

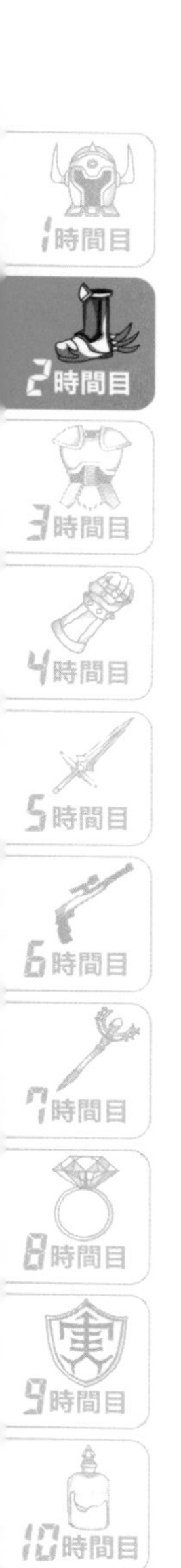

《2》逆接【A⇕B】直前(A)と、逆の内容や展開(B)をつなぐ接続

(しかし・だが・が・ところが・けれども・とはいえ・にもかかわらず……など)

雨が降ってきた。しかし、体育祭は決行された。

○逆接は、「ここまでの流れ(下方向)とは、逆の内容がくる(アゲインスト!)」というイメージで、エレベーターの上行きボタン「△」で囲みます。

《3》要約【A＝B】直前(A)を、言いかえ(B)たり説明(B)したりする接続

(つまり・言いかえると・要するに・すなわち・いわば・逆に言うと……など)

雨が降ってきた。つまり、雨天である。

○要約の前後は「同内容」すなわち、筆者が繰りかえして述べる「重要な内容(主張)」がくる可能性が高いです。「⇩」マークで囲み、前後とも要チェックです。

《4》ではなく構文【A＜B】一般論（A）と対照させ、主張（B）を強調する構文

（ではなく・でなく・むしろ・よりも・だけでなく・ばかりか……など）

雨ではなく、嵐と呼ぶのに相応しい天候である。

○「ではなく」は、「この後こそ大事な内容だ」という目印です。「～」を引いて直後に注目です。「むしろ」「よりも」も同じグループです。なお「だけでなく」も、直後が焦点となる場合が多いので、同様の扱いでOK。

《5》並立・対比【A－B】同レベルの内容（A／B）を、並立・対比させる語句

（また・さらに・それに対して・一方は（他方は）・前者は（後者は）……など）

京都は雨である。それに対して、北海道は雪である。

○「AまたB」「Aそれに対してB」「一方はA／他方はB」など、並立関係や対比関係を示す語句に「‖」を引き、構造的に把握しよう！

「5つのアイテム」で、次の展開を予測変換

「フランス人はパンを食べる。それに対して……」とくれば「日本人は米を食べる。」と続きそうですよね。接続語を記号化する最大の効果は、次の展開を、ある程度予測しながら読みすすめられるということです。

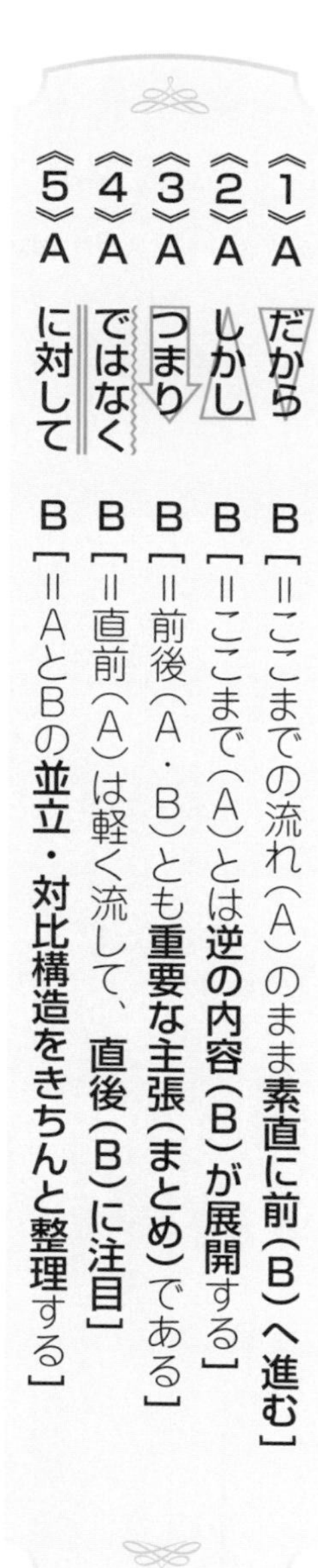

《1》A だから B「=ここまでの流れ（A）のまま**素直に前（B）へ進む**」
《2》A しかし B「=ここまで（A）とは**逆の内容（B）が展開する**」
《3》A つまり B「=前後（A・B）とも**重要な主張（まとめ）**である」
《4》A ではなく B「=直前（A）は軽く流して、**直後（B）に注目**」
《5》A に対して B「=AとBの**並立・対比構造をきちんと整理**する」

「5つのアイテム」は、いわば道路標識です。**交通ルールに従って頭を切りかえ、次の展開を先取りする意識を持てば**、読むスピードはグングン加速していきます！

それでは、次のミッションで、「5つのアイテム」を練習してみましょう。

イメージは固定的なものでなく、普通は時と共に薄れていく。この感覚とイメージの世界に生きる点では人間も動物も同じである。ところが人間はイメージに名前を付けることによってそれを固定して保存する。これが言葉の世界である。イメージはそれぞれ異なっているが、類似したイメージに対してはその類似性に基づいて一つの共通の名前が与えられる。たとえば我々の前に高い山がある。じっと見ていると類似した感覚的イメージの流れがあり、次の日に来て眺めても前日と類似した感覚的イメージが経験される。そこでその山に富士山という名前を付ける。動物と異なる人間の世界は、流動的世界を固定してその世界のものごとに名を与える言語の世界である。確かに動物にも言葉はある。言葉とは、それによって何かを指し示す記号である。しかし動物の場合、類似した感覚的イメージを身振りや鳴き声で固定して表現するその言語（記号）は、必ず現在のものを指し示すことに限られている。たとえば危険を表す鳥の鳴き声は現在そうであることを離れて意味を持たないし、ベルの音が餌を指示するという記号の習得をした犬にとってベルの音は今餌が出るぞという意味であり、その音を涎（よだれ）を出すことなしに聞くことはできない。このような犬とベルの音の関係に対応するのが、人間の場合食事という言葉である。これは、犬に対し餌を指示するのにベル以外のものでもよかったのと同様に、別の言葉でもありえたのであるが、いったん食事という言葉に固定されると現実のすべての食事現象を表す記号となる。それは動物におけるような現在の現象だけに限らず、過去のことも未来のことも示す記号として使われる。だから、動物の言葉が現在において一対一の関係で直接にものごと

を示す信号であるのに対し、人間の言葉は、あらゆる時の一定の類似した現象すべてを表す一般的記号であるがためとくに象徴と呼ばれる。言葉を話す人間は象徴を操る動物である。（山下勲『世界と人間』による）

問　傍線部「言葉を話す人間は象徴を操る動物である」とあるが、その説明として最も適当なものを、次の①〜⑤のうちから一つ選べ。

難易度★★☆☆☆

① 人間以外の動物が目の前の現象を身振りや鳴き声で表現する信号しか持たないのに対して、人間は複数の異なるイメージを一つのイメージに集約することで、ものに名前を与えることができる。

② 人間以外の動物が一対一の関係でものごとを指し示すのに対して、人間は複数の感覚的イメージから類似性を抽出することで、各自のイメージ経験の微妙なズレを解消することができる。

③ 人間も人間以外の動物も感覚的イメージを表現できる点では同じだが、人間は類似した現象に名前を与えることで、時間を超えてそれらの現象を同じ言葉で指し示すことができる。

④ 人間も人間以外の動物も感覚とイメージの世界を生きる点では同じだが、人間は時とともに変化するイメージに名前をつけて固定することで、一般化された記号を獲得することができる。

⑤ 人間は人間以外の動物と異なって、経験によって獲得した曖昧なイメージに名前をつけて抽象的なイメージに統合することで、個人の経験を超えた共通の世界を現出させることができる。

正解は！ 3

イメージは固定的なものでなく、普通は時と共に薄れていく。この感覚とイメージの世界に生きる点では人間も動物も同じである。ところが人間はイメージに名前を付けることによってそれを固定して保存する。これが言葉の世界である。イメージはそれぞれ異なっているが、類似したイメージに対してはその類似性に基づいて一つの共通の名前が与えられる。たとえば我々の前に高い山がある。じっと見ていると類似した感覚的イメージの流れがあり、次の日に来て眺めても前日と類似した感覚的イメージが経験される。そこでその山に富士山という名前を付ける。動物と異なる人間の世界は、流動的世界を固定してその世界のものごとに名を与える言語の世界である。確かに動物にも言葉はある。言葉とは、それによって何かを指し示す記号である。しかし動物の場合、類似した感覚的イメージを身振りや鳴き声で固定して表現するその言語（記号）は、必ず現在のものを指し示すことに限られている。たとえば危険を表す鳥の鳴き声は現在そうであることを離れて意味を持たないし、ベルの音が餌を指示するという記号の習得をした犬にとってベルの音は今餌が出るぞという意味であり、その音を涎（よだれ）を出すことなしに聞くことはできない。このような犬とベルの音の関係に対応するのが、人間の場合食事という言葉である。これは、犬に対し餌を指示するのにベル以外のものでもよかったのと同様に、別の言葉でもありえたのであるが、いったん食事という言葉に固定されると現実のすべての食事現象を表す記号となる。それは動物におけるような現在の現象だけに限らず、過去のことも未来のことも示す記号として使われる。だから、動物の言葉が現在において一対一の関係で直接にものごとを示す信号であるのに対し、人間の言葉は、あらゆる時の一定の類似した現象すべてを表す一般的記号であるがためとくに象徴と呼ばれる。言葉を話す人間は象徴を操る動物である。

「動物の言葉」＝［現在・一対一の関係・直接にものごとを示す信号］
「人間の言葉」＝［あらゆる時・一定の類似した現象のすべて・一般的記号］

以上の対比構造を押さえて、選択肢を検証していきます。

①は「**複数の異なるイメージを……集約する**」が×。人間は「一定の類似した現象」に名前を付けるのです。

②は「**各自のイメージ経験の微妙なズレを解消することができる**」が×。「解消」は完全に消しさることですから、「断定」で×と判断します。（➡P89）

③は、人間が「**類似した現象に名前を与える**」ことで、「**時間を超えて**」（＝過去・現在・未来、あらゆる時の）……**指し示すことができる**」ということで、これが正解！

④と⑤はそれぞれ、「**時とともに変化するイメージ**」「**曖昧なイメージ**」に名前をつけるということで、「限定」で×（➡P89）。人間は、あらゆる時の一定の類似した現象すべてに名前をつけるのです。

1 フィクションとしての妖怪、とりわけ娯楽の対象としての妖怪は、いかなる歴史的背景のもとで生まれてきたのか。

2 確かに、鬼や天狗(てんぐ)など、古典的な妖怪を題材にした絵画や芸能は古くから存在した。しかし、妖怪が明らかにフィクションの世界に属する存在としてとらえられ、そのことによってかえっておびただしい数の妖怪画や妖怪を題材とした文芸作品、大衆芸能が創作されていくのは、近世も中期に入ってからのことなのである。つまり、フィクションとしての妖怪という領域自体が歴史性を帯びたものなのである。

3 妖怪はそもそも、日常的理解を超えた不可思議な現象に意味を与えようとする民俗的な心意から生まれたものであった。人間はつねに、経験に裏打ちされた日常的な原因―結果の了解に基づいて目の前に生起する現象を認識し、未来を予見し、さまざまな行動を決定している。ところが時たま、そうした日常的な因果了解では説明のつかない現象に遭遇する。それは通常の認識や予見を無効化するため、人間の心に不安と恐怖を喚起する。このような言わば意味論的な危機に対して、それをなんとか意味の体系のなかに回収するために生み出された文化的装置が「妖怪」だった。それは人間が秩序ある意味世界のなかで生きていくうえでの必要性から生み出されたものであり、それゆえに切実なリアリティをともなっていた。民間伝承としての妖怪とは、そうした存在だったのである。

4 妖怪が意味論的な危機から生み出されるものであるかぎり、そしてそれゆえにリアリティを帯びた存在であるかぎり、それをフィクションとして楽しもうという感性は生まれえない。フィクションとしての妖怪という領域が成立するには、妖怪に対する認識が根本的に変容することが必要なのである。

5 妖怪に対する認識がどのように変容したのか。そしてそれは、いかなる歴史的背景から生じたのか。本書ではそのような問いに対する答えを、「妖怪娯楽」の具体的な事例を通して探っていこうと思う。

（香川雅信『江戸の妖怪革命』（序章）による）

問 この文章を授業で読んだNさんは、本文の意味段落に見出しをつけて整理した。2〜3（＝ Ⅰ ）・4〜5（＝ Ⅱ ）の見出しの組み合わせとして最も適当なものを、次の①〜④のうちから一つ選べ。

難易度 ★★★☆☆

① Ⅰ 妖怪はいかなる歴史的背景のもとで娯楽の対象になったのかという問い
Ⅱ 意味論的な危機から生み出される妖怪

② Ⅰ 妖怪はいかなる歴史的背景のもとで娯楽の対象になったのかという問い
Ⅱ 妖怪娯楽の具体的事例の紹介

③ Ⅰ 娯楽の対象となった妖怪の説明
Ⅱ いかなる歴史的背景のもとで、どのように妖怪認識が変容したのかという問い

④ Ⅰ 妖怪に対する認識の歴史性
Ⅱ いかなる歴史的背景のもとで、どのように妖怪認識が変容したのかという問い

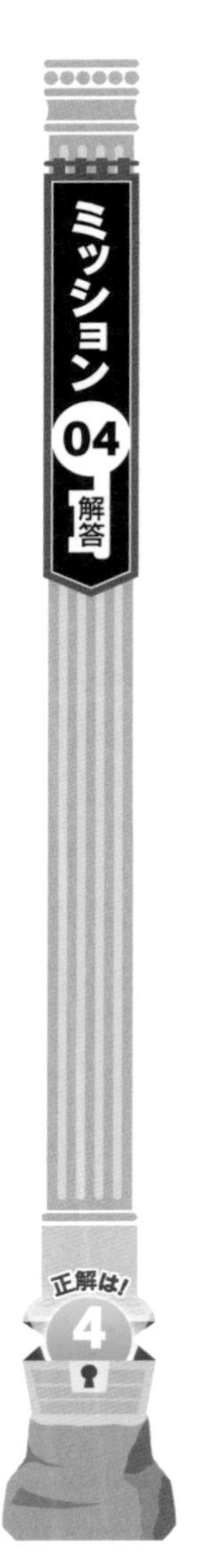

1 フィクションとしての妖怪、とりわけ娯楽の対象としての妖怪は、いかなる歴史的背景のもとで生まれてきたのか。

2 確かに、鬼や天狗（てんぐ）など、古典的な妖怪を題材にした絵画や芸能は古くから存在した。しかし、妖怪が明らかにフィクションの世界に属する存在としてとらえられ、そのことによってかえっておびただしい数の妖怪画や妖怪を題材とした文芸作品、大衆芸能が創作されていくのは、近世も中期に入ってからのことなのである。つまり、フィクションとしての妖怪という領域自体が歴史性を帯びたものなのである。

3 妖怪はそもそも、日常的理解を超えた不可思議な現象に意味を与えようとする民俗的な心意から生まれたものであった。人間はつねに、経験に裏打ちされた日常的な原因―結果の了解に基づいて目の前に生起する現象を認識し、未来を予見し、さまざまな行動を決定している。ところが時たま、そうした日常的な因果了解では説明のつかない現象に遭遇する。それは通常の認識や予見を無効化するため、人間の心に不安と恐怖を喚起する。このような言わば意味論的な危機に対して、それをなんとか意味の体系のなかに回収するために生み出された文化的装置が「妖怪」だった。それは人間が秩序ある意味世界のなかで生きていくうえでの必要性から生み出されたものであり、それゆえに切実なリアリティをともなっていた。民間伝承としての妖怪とは、そうした存在だったのである。

4 妖怪が意味論的な危機から生み出されるものであるかぎり、そしてそれゆえにリアリティを帯びた存在

であるかぎり、それをフィクションとして楽しもうという感性は生まれえない。**フィクションとしての妖怪**という領域が成立するには、妖怪に対する認識が根本的に変容することが必要なのである。

5 **妖怪**に対する認識がどのように変容したのか。そしてそれは、いかなる歴史的背景から生じたのか。本書ではそのような問いに対する答えを、「妖怪娯楽」の具体的な事例を通して探っていこうと思う。

2段落＝「**フィクションとしての妖怪**」は、近世以降に出現した**歴史性を帯びたもの**だ。

3段落＝「**民間伝承としての妖怪**」はそもそも、**不可思議な現象に意味を与えるための文化的装置**である。それゆえに**切実なリアリティをともなっていた**。

⬇ **Ⅰ**『妖怪に対する認識の歴史性』

4段落＝「**フィクションとしての妖怪**」の成立には**認識が根本的に変容することが必要**。

5段落＝妖怪に対する認識が**どのように変容したのか、いかなる歴史的背景から生じたのか**。「妖怪娯楽」の具体的な事例を通して探っていこう。

⬇ **Ⅱ**『いかなる歴史的背景のもとで、どのように妖怪認識が変容したのかという問い』

本文の内容を生徒がまとめる新傾向の問題ですが、要するに各段落の要点をまとめればいいわけですからまさに「線引き」の本領発揮です。**①②**のⅠは1段落の内容だから×。**③**は3段落の内容を含まないので×。したがって④が正解。

※兄弟は、病気の妹の薬代を作るために、かつて父の使用人であった酒場の主人のところへ米を売りにやってきた。主人は米の包みを受け取ったが、奥の部屋へ入ったまま戻ってこない。

「どうしたんでしょうねえ」

わずかな暇をみて女主人が奥へ去り、しばらくしてもどると、二人のまえにおいてあった桃をとりあげて皮をむきはじめた。女主人はなにかいうのだろうかと顔をみつめても少年たちには黙っている。奥で、なにかのっぴきならないことがおこったのかもしれない、と弟は想像した。女主人の細い指が器用にナイフをあやつって、手の中で桃をあたかも一つの毬(まり)のようにくるくるところがしながら皮をむくのを彼は見ていた。皮は細い紐(ひも)になってテーブルの上におちた。

皮をむかれた桃は、小暗い電灯の照明をやわらかに反射して皿の上にひっそりとのっている。汁液が果肉の表面ににじみ出し、じわじわと微細な光の粒になって皿にしたたった。弟はテーブルから目をそむけた。

しかし、壁を見ても客の姿を見ても、目にうかぶのは輝くばかりの桃である。淡い蜜(みつ)色の冷たそうな果実は、目をとじてさえも鮮やかに彼の視界にひろがる。戦争以来、何年も見たことのない果実であった。

女主人は客のいるカウンターへ去った。

「帰ろうよ」

弟はささやいた。

「お金をもらったら帰る」

兄がおもおもしく宣言した。弟の目には兄がおとなっぽく映った。自分ひとりが乳のみ児(ご)のように道理をわきまえない子供だと思われ、それが肚(はら)だたしくもあった。いったい兄は皿の桃をどう思っているのだろう。手をのばして触りたくもないのだろうか。大豆滓(かす)ととうもろこしの雑炊を食べていて、どうして平然とおちつきはらっていられるのだろう。

弟はズボンのポケットに握りこぶしを入れ背をまるくしてうなだれた。　15

（野呂邦暢(のろくにのぶ)「白桃」による）

問　傍線部「自分ひとりが乳のみ児のように道理をわきまえない子供だと思われ、それが肚だたしくもあった」とあるが、このときの弟の心情の説明として最も適当なものを、次の①～③のうちから一つ選べ。

難易度 ★★☆☆☆

（④⑤省略）

① 必ず役目を果たすという強い意志を持って臨んでいる兄に比べて、そんな意欲を持てず放棄したいと考える自分が卑怯(ひきょう)に思われ、怒りを感じている。

② ひたすら役目を果たそうとしている兄に比べて、桃の魅力に耐えられずこの場から逃れたいと考える自分が幼く感じられ、いまいましく思っている。

③ 感情を表に出さない兄に比べて、桃を食べたいという欲求を抑えきれずすぐ態度に出してしまう自分が卑しく思われ、嫌悪を感じている。

1時間目
2時間目
3時間目
4時間目
5時間目
6時間目
7時間目
8時間目
9時間目
10時間目
最終確認テスト

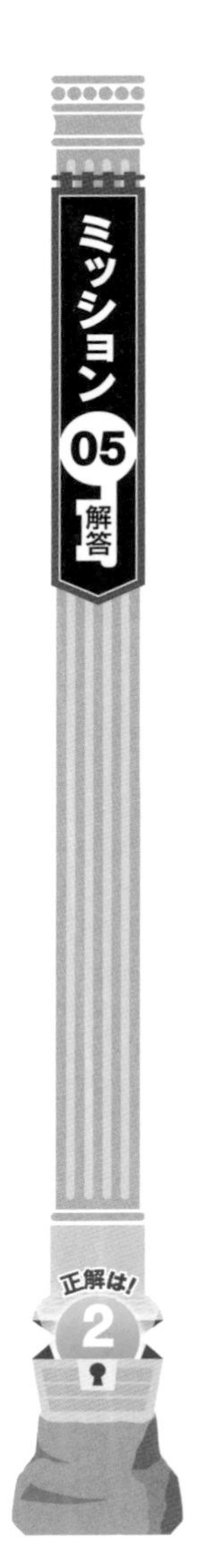

「どうしたんでしょうねえ」

わずかな暇をみて女主人が奥へ去り、しばらくしてもどると、二人のまえにおいてあった桃をとりあげて皮をむきはじめた。女主人はなにかいうのだろうかと顔をみつめても少年たちには黙っている。

奥で、なにかのっぴきならないことがおこったのかもしれない、と弟は想像した。女主人の細い指が器用にナイフをあやつって、手の中で桃をあたかも一つの毬（まり）のようにくるくるところがしながら皮をむくのを彼は見ていた。皮は細い紐（ひも）になってテーブルの上におちた。

皮をむかれた桃は、小暗い電灯の照明をやわらかに反射して皿の上にひっそりとのっている。汁液が果肉の表面ににじみ出し、じわじわと微細な光の粒になって皿にしたたった。弟はテーブルから目をそむけた。しかし、壁を見ても客の姿を見ても、目にうかぶのは輝くばかりの桃である。淡い蜜（みつ）色の冷たそうな果実は、目をとじてさえも鮮やかに彼の視界にひろがる。戦争以来、何年も見たことのない果実であった。

女主人は客のいるカウンターへ去った。

「帰ろうよ」

弟はささやいた。

「お金をもらったら帰る」

兄がおもおもしく宣言した。弟の目には兄がおとなっぽく映った。自分ひとりが乳のみ児（ご）のように道理をわきまえない子供だと思われ、それが肚（はら）だたしくもあった。いったい兄は皿の桃をどう思っているのだろう。手をのばして触りたくもないのだろうか。大豆滓（かす）ととうもろこしの雑炊を食べていて、どうして平然とおちつきはらっていられるのだろう。

弟はズボンのポケットに握りこぶしを入れ背をまるくしてうなだれた。

傍線部とその前後から「弟の心情」を回収しましょう。

ℓ9（a）**目にうかぶのは輝くばかりの桃**
ℓ12（b）**「帰ろうよ」**
ℓ14（兄）「お金をもらったら帰る」
ℓ15（兄）兄がおとなっぽく映った
ℓ15（c）**乳のみ児のように……子供だ**
ℓ16（d）**肚だたしく**

「桃の魅力に耐えられず（a）」「**この場から逃れたい**（b）」「**自分が幼く感じられ**（c）」「**いまいましく**（d）」と、大事な要素が全～部入っている、②の完全勝利◎！

①の「（必ず役目を果たすという）**意欲を持てず放棄したい**」だと、人格がダメ過ぎるので×。③はまず「**感情を表に出さない兄**」が×。兄は、強い信念を表明していません。また「**すぐ態度に出してしまう**」も×。弟はポケットに手を入れて耐え忍んでいるのです。

COLUMN

神業裏技アカデミー

速読トライアル①

後回しOK！

「ワーキングメモリ」で読解を効率化！

「5つのアイテム」をバッチリ覚え、「線引き」もスイスイできるようになってきたら、次に挑戦してほしいのが「**ワーキングメモリ**」というテクニックです。これは、**ある仕事（線引き）を進めながら、途中の情報をチョコっと記憶（メモリ）していく作業**です。

ガッツリ暗記する必要はありません。例えば、電車の窓から外を眺めながら、気になった建物や看板などをチョコチョコ頭に刻んでいくイメージに近いかな？《①椅子の背もたれの話→②椅子のクッション性の話→③文化的記号としての「もの」》……**線引きを進めながら、要点を「頭の中のノート」にチョコっとメモリする**。このひと手間によって、問6をはじめ、設問へのアプローチがメチャクチャ素早くなります！

なお「ワーキングメモリ」のような短期記憶が苦手な人は（ちなみに「忘れ物が多い人」「机の上が汚い人」と、ほぼ合致するらしいぞ！）、開き直って「**覚えない戦法**」でいきましょう。「線引き」を「蛍光マーカー」だとイメージし、大事な箇所をチェックします。要するに、**忘れるかわりにマーキングしておく**という発想で線引きしてみましょう。

「速読モード」にシフトチェンジ！

1 「速く読む」技術
「モジを読む」から「ハバで見る」へ！

まずは「速読」の基本から。文・字・を・ひ・と・つ・ず・つ・き・ち・ん・と・認識し、それを黙読（＝頭の中で音読）するのではなく、**文章を**「5〜15センチ幅」**で捉え、そのまま視読する**（**＝読まずに**“見たまま”脳に入れる）感覚で進んでいきましょう。例えば、絵本の「絵」だけを見て、頭で「ストーリー」を紡いでいくイメージです。練習すれば必ずマスターできますから、意識的にトレーニングしていってください！

2 「読まない」技術
「どうでもいい部分」を読み飛ばせ！

「線引き」は「大事な部分」に線を引いていく作業ですから、線を引かない箇所が「**どうでもいい部分**」として残されていきますよね。現代文の速読においては、「大事な部分」を急いで読むことより、「**どうでもいい部分」を大胆に、意識的に読み飛ばす**（＝読まずに切り捨てる）ことが非常〜に効果的です。前にも書きましたが、ブレーキ（丁寧に読む）とアクセル（読み飛ばす）の差をしっかりつけることが「速読」の秘訣（ひけつ）です。

「3段メソッド」を起動せよ！

Ex UP 「運ゲー」の女神は、キミに微笑みかけるか……？

他教科と比べ、現代文は「暗記」の占める割合が非常に小さい科目です。

いわゆる暗記科目では、ここまで積み上げてきた努力、つまり「**知識**（**量&質**）」**が偏差値と直結する**ので、本番ではある程度〝**想定通り**〟の結果に落ち着きます。

それに対して現代文では、初めて見る文章と向き合い、その場で考え、自力で対処していかなければなりません。いくら準備したって、本番ではどう転ぶかわからない〝**出たとこ勝負**〟の要素が多いため、「**現代文＝運ゲー**」といったイメージが広まったのでしょう。

「①**か**？　②**か**？　**それとも**、④**か**？」

…そういえばこの状況、マンガでよくある「時限爆弾解体シーン」に似ていますよね。

「赤いコードを切るか？」「いや、ここは冷静に、青で。」「と見せかけて、逆に黄色？」「逆

の逆の逆で白ってことある？」「あ〜〜さっきからオレンジとメチャクチャ目が合う〜〜。」
…ぐるぐる迷った挙句、「**自分を信じろ！**（＝根拠ナシ）」「**うおりゃ〜〜！**（＝自暴自棄）」「**頼む〜〜〜〜！**（＝他力本願）」〝チョキン〟……………………ドゴーーン!!

ここでハッキリ断言しておきます。キミの勘は、それほど当たりません！　キミの運は、フツーぐらいです！　神は受験会場に降臨しません！　本番でキミのやるべきことは……

設問文をしっかり読み、「攻略法（メソッド）」をきちんと遂行するのみ！！！！！

例えば、テニスがうまくなりたかったら、まずは「フォーム」をガッチリ固めることが大切です。囲碁や将棋が強くなるためには、勝つための「セオリー」をきちんと理解していく必要があります。それは、対戦相手が誰なのか、とはまた別の問題です。

現代文も、本文や選択肢がどんな内容であろうと、常に一定の「攻略法（メソッド）」で設問を処理していくことで、**得点は高いレベルで安定する**のです。すなわち、「勘」を理論で塗りつぶし、「運」をコントロールできたとき……キミ自身が「神」となるのです！！！

……そんな高貴な皆様に恐縮ですが、まずは次のミッションに挑戦してみてくださいまし。

こうした日本の空間にみられる特性は、従来、気候条件や生産方式によって説明されてきたが、それももちろん妥当な説明である。しかし、日本の空間には、身体的な快適さや技術にあわせて、境界を明確にしない方がよいとする価値観があり、そうした美学が日本の空間の諸形式を決定してきたと思われる。

閑(しづか)さや岩にしみ入蟬(いるせみ)の声　　芭蕉(ばしょう)

芭蕉によって一挙にその意味の重みが明らかにされた「しみる」という動詞は、日本の文化の性格を説明する述語のひとつである。日本人なら、まず知らない者はいないと思われるこの句は、説明の要もなく、境界についてのメタファである。実際のところ、事象が融合する様相は、美しい風景のひとつの条件として、今日なお日本人の価値観のなかに生きつづけているように思われる。

（原広司『空間〈機能から様相へ〉』による）

問　傍線部「閑さや岩にしみ入蟬の声」という句の、筆者の論旨に即した鑑賞として、最も適当なものはどれか。次の①〜⑤のうちから一つ選べ。

難易度★★★★★

①「しみ入」という表現は、蟬の声が強い境界を持つ岩の深部に浸透していく感じをあたえる。その声がひたむきであればあるほど、蟬の生の切なさを感じさせ、それがまた一生を旅に送った芭蕉の「漂泊の思い」の強さをも象徴している。

②「岩にしみ入」と感じられる声の性質からすると、一匹の蟬の声が青空に鋭く響いているのであろう。とかく騒がしいものとされる蟬の声を、「閑さ」を深めるものとしてとらえたところに、芭蕉の美学の独自性がうかがわれる。

③蟬の声は岩という強い境界をもつ物体にしみ入り、山寺の大いなる「閑さ」の中に吸い取られていく。このような事象の相互浸透性や融合性を一句の中にみごとに定着させた芭蕉の言葉づかいと高い境地を味わうべきである。

④「しみ入」という表現は、芭蕉の理想とした「さび」の境地を示すものである。また、山寺の「閑さ」にひたり自然と一体化している芭蕉の姿には、事象を融合し、境界を不明確にすることをよしとする日本人の美学が示されている。

⑤静中の動をとらえて、同時に動中の静を感じさせる句である。この静と動の相互浸透をよしとするのが日本文化の伝統であり、その伝統に根ざしつつ、さらに高次の「閑さ」の境地をとらえたところに蕉風俳諧の質の高さが認められる。

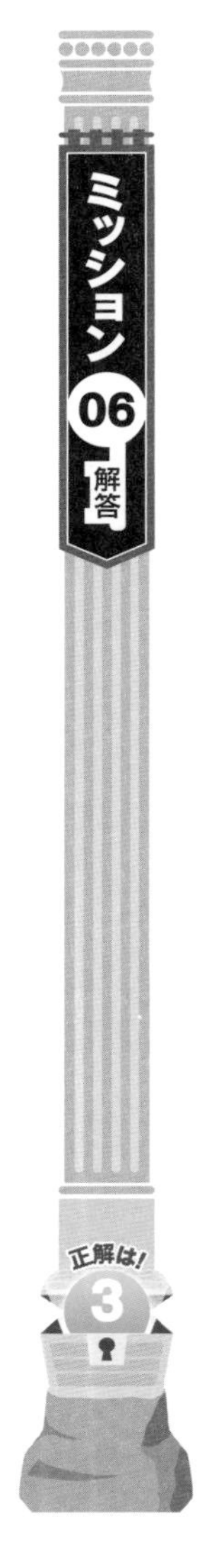

先日、この問題を２００人の受験生に解いてもらったところ、選択率は以下のような分布になりました。……私の「インチキ心理分析」と併せて確認してみてください。

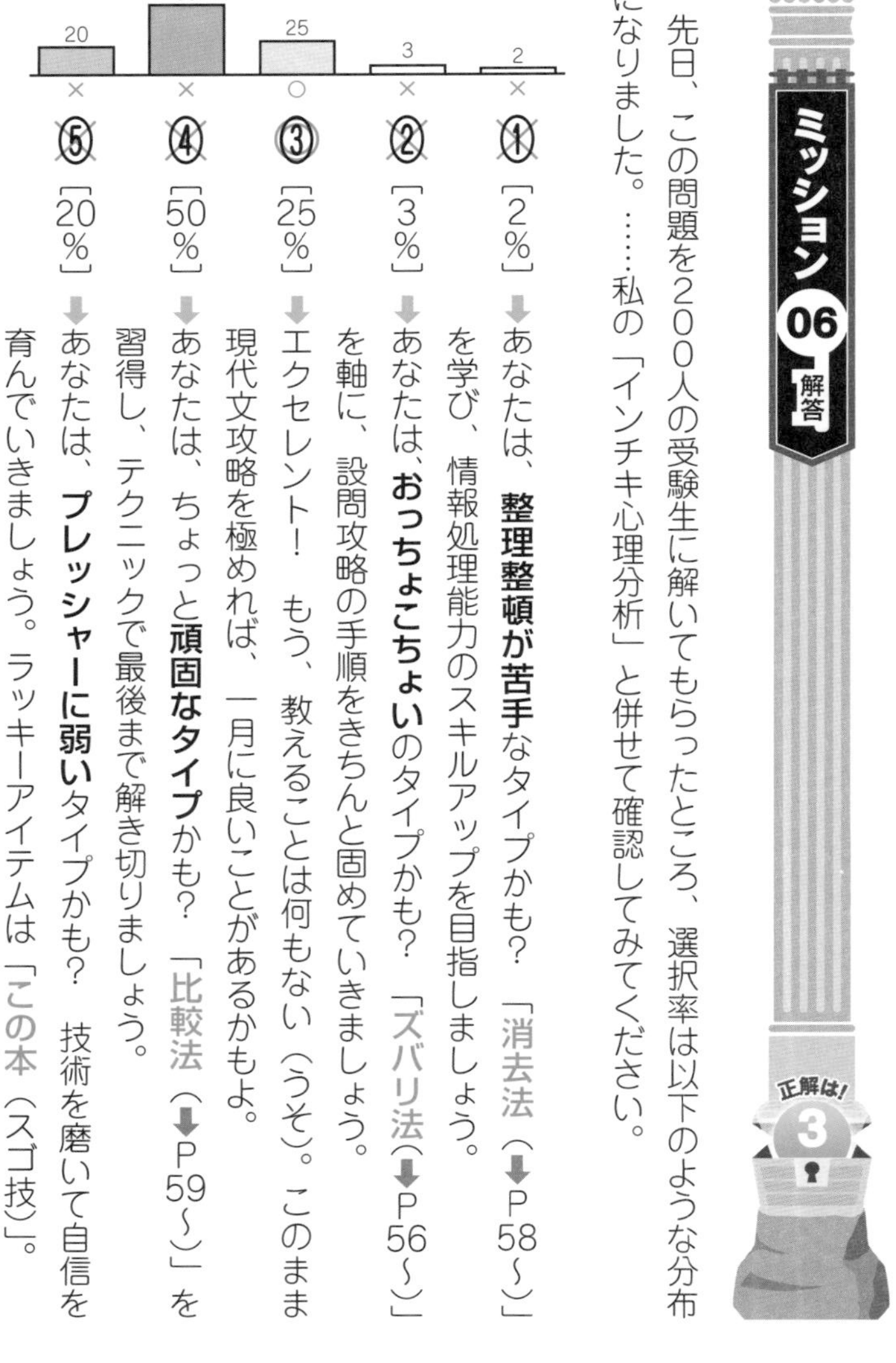

①［２％］⬇あなたは、**整理整頓が苦手**なタイプかも？「消去法（⬇P58〜）」を学び、情報処理能力のスキルアップを目指しましょう。

②［３％］⬇あなたは、**おっちょこちょい**のタイプかも？「ズバリ法（⬇P56〜）」を軸に、設問攻略の手順をきちんと固めていきましょう。

③［25％］⬇エクセレント！ もう、教えることは何もない（うそ）。このまま現代文攻略を極めれば、一月に良いことがあるかもよ。

④［50％］⬇あなたは、ちょっと**頑固なタイプ**かも？「比較法（⬇P59〜）」を習得し、テクニックで最後まで解き切りましょう。

⑤［20％］⬇あなたは、**プレッシャーに弱い**タイプかも？ 技術を磨いて自信を育んでいきましょう。ラッキーアイテムは「この本（スゴ技）」。

ズバリ×消去×比較＝「3段メソッド」！

共通テスト現代文、すべての選択肢問題を正解へと導く、電光石火、快刀乱麻、完全無欠の設問攻略オペレーション……それが「3段メソッド」です！

①「ズバリ法」②「消去法」③「比較法」。それでは、1つずつ紹介していきましょう。

選択肢問題攻略「3段メソッド」

①ズバリ法
＝選択肢は見ず、設問文と本文だけでしっかり考えて正解を決めきる攻略法。

②消去法
＝×の選択肢をきちんと消去し、最後に残ったものを正解と判断する攻略法。

③比較法
＝迷っている2つの選択肢の決定的な違いを押さえ、正解を確定する攻略法。

3段メソッド①「ズバリ法」

最初に繰り出す最速の設問攻略法。 まずは設問文をしっかり解析。そして、「**設問に対する答え・ヒント・根拠**（＝ズバリの要素）」を本文から探しだし、それを含む正解の選択肢をズバリと選ぶ。要素を押さえるまで、選択肢を先に見ないことが最大のポイントです。

問2　傍線部「〜〜〜〜〜〜」とあるが、それはなぜか？

何を問われているのか？

何を探すのか？

どんな答えになりそうか？

どこに書いてありそうか？

【1】「設問解析」開始

設問文を正確に読み、ここでの自分の**任務**（**何を問われているのか？　何を答えるのか？　つまり何を探すのか？**）を把握します。

「**設問解析**」は、３段メソッドに入る**下準備**のような作業ですが、ここでの15秒間の頑張りが、最終的に**1分間の時間短縮を実現する**のです！（本当に現代文がデキる連中は、「設問解析」の段階で、ある程度〝答え〟まで見抜いているのです…！）

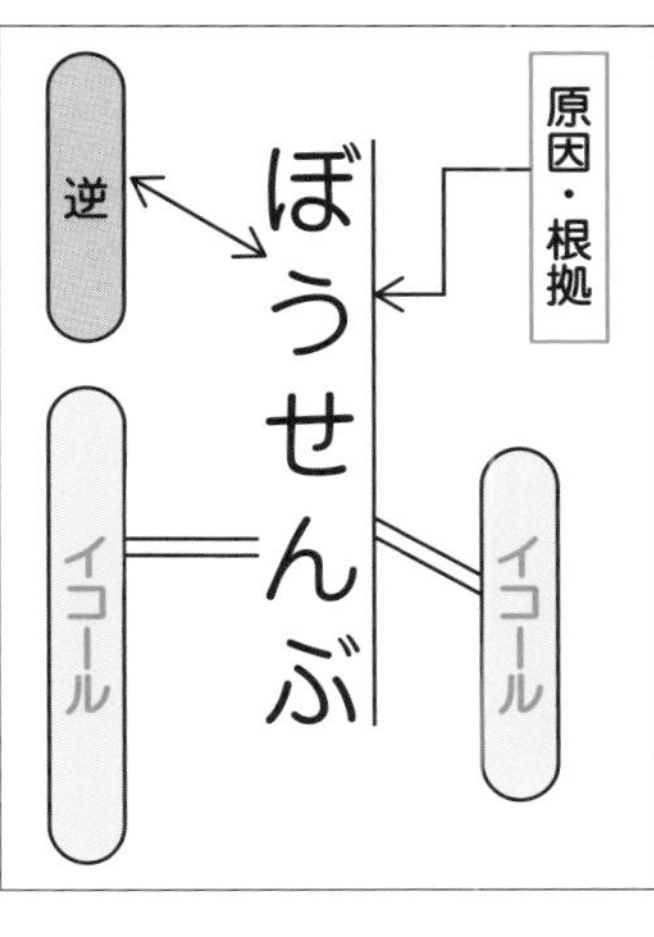

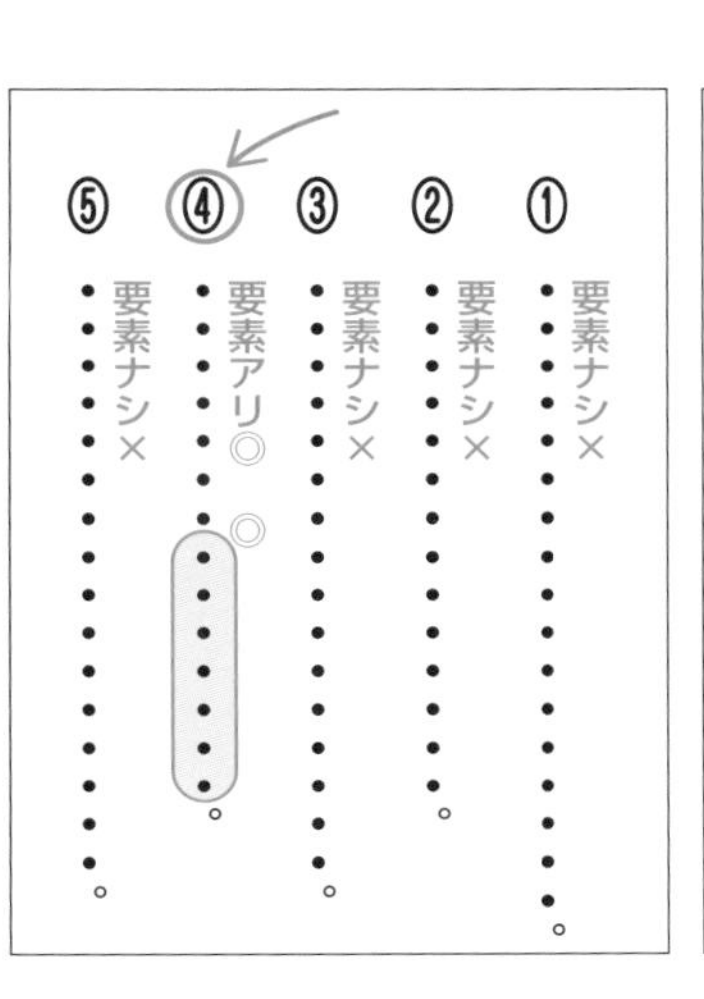

【2】「ズバリの要素」回収

設問に対する答え＝「ズバリの要素」を、本文から探し出します。まさに**「要素」として、内容をコンパクトに押さえる**ことで、選択肢の処理が手早く簡単になります。

まずは傍線部の前後を探し、見つからなければ徐々に捜索範囲を広げていきましょう。

【3】正解を「ズバリ」選択

押さえた**「ズバリの要素」を含んでいる選択肢**（＝**正解**）を、「ズバリ！」と選びます。

ズバリ法では、「ズバリの要素」が「**アリ◎か？／ナシ×か？**」で、選択肢をサクサク処分していきます。

3段メソッド②「消去法」

最も確実な設問攻略法。記号（①〜⑤）に×印を付けるだけで満足してはいけません。×の選択肢の「どこが・なぜ×なのか?」をきちんと指摘し、完璧に消去しましょう。

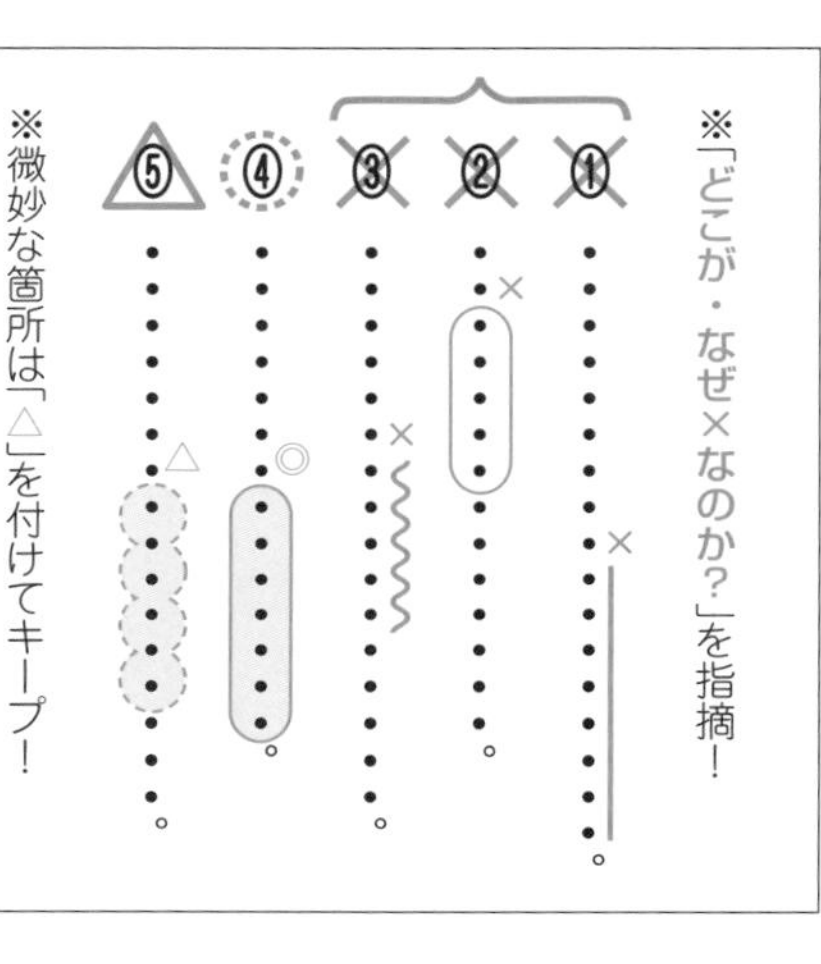

【1】「選択肢チェック」実行

「どこが・なぜ×なのか?」……選択肢にしっかり「―」や「○」を書きこみ、さらに「○×△」などの判定も付けていきます。「△」は、「**現時点では○とも×とも言い切れない**」という、1つの判断です。

【2】「選択肢×パターン」活用

P88〜91ページで紹介する「選択肢×パターン」を習得すれば、選択肢処理の速度と精度が共にグンと上がります。

3段メソッド③「比較法」

最終&必殺の設問攻略法。最後に2つの選択肢で迷ったとき、両者は**「どう違うのか？」**すなわち、両選択肢の「決定的な違い」を見極め、ポイントを本文で再確認します。

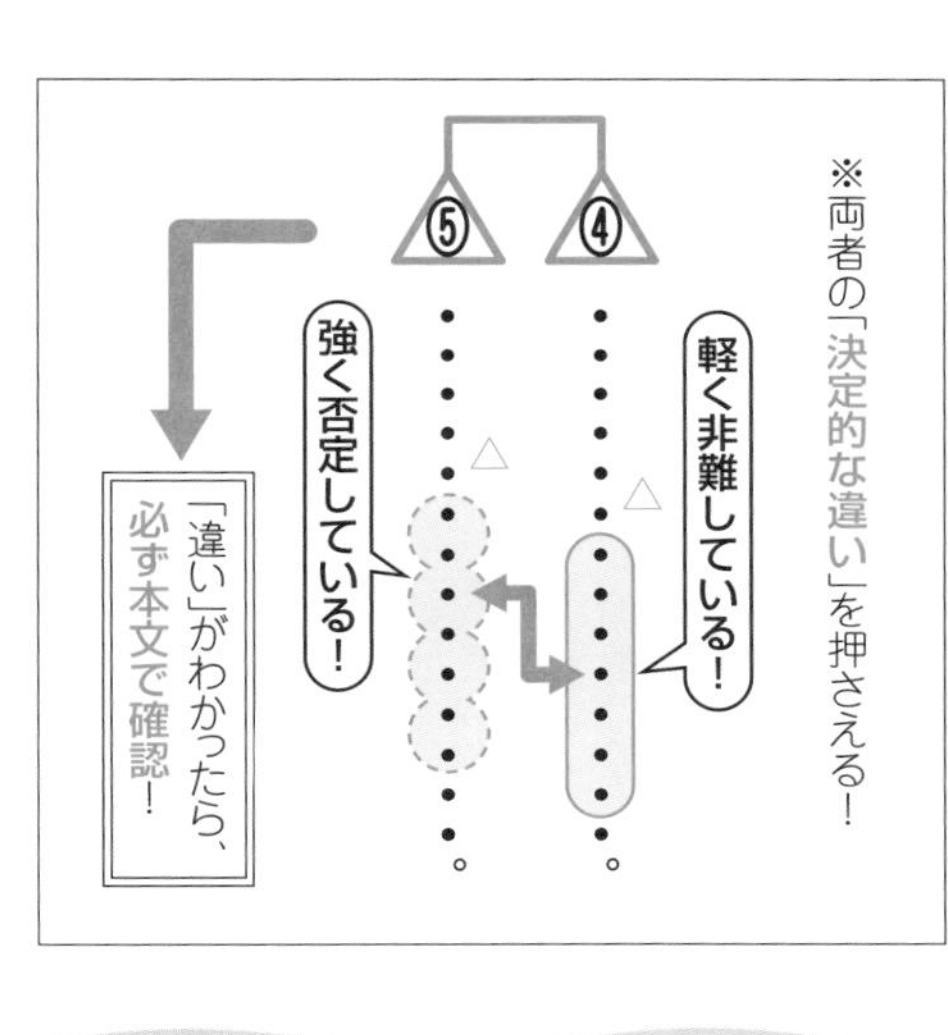

【1】「決定的な違い」を見極める

「どっちがイイか？」「どっちがダメか？」ではなく、**「どう違うのか？」**……選択肢全体を交互に見比べ、両者の「決定的な違い（対照的なポイント）」を見極めましょう。

【2】必ず本文で「答え合わせ」

両選択肢の「違い」がわかったら、最後に必ず本文と照合してください。本文が、正解を指し示してくれるはずです。自分の頭の中だけで判断しないように注意しましょう。

ズバリ法

「設問解析」

さてさて、今回の任務は何なのか？　設問を〝解析〟していきましょう。

〈何を答えるのか？〉

＝**「閑さや岩にしみ入蟬の声」という句の**（**筆者の論旨に即した**）**鑑賞**。

⬇じつは「句の鑑賞」を選ぶ問題だったんですけど！　ちゃんと気づいてた？

〈何を探すのか？〉

⬇まずは本文の「**筆者の論旨**」を押さえ、それに合った「**句の鑑賞**」を選びます。

「ズバリの要素」回収

(ℓ2)「日本の空間には……境界を明確にしない方がよいとする価値観があり……」

(ℓ9)「事象が融合する様相は……今日なお日本人の価値観のなかに生きつづけている……」

＝**日本人は、「境界を明確にしない方がよい」「事象が融合する様相（は美しい）」といった価値観を持ちつづけている。**

続いて、回収した「ズバリの要素」を軸にして、選択肢を処理していきます。

消去法

①は「×(蟬の)声がひたむきであればあるほど」「×蟬の生の切なさを感じさせ」が、論旨とはぜんぜん関係のない「余分な情報(タンコブ)」だから×。

②は岩にしみ入るはずの蟬の声が「×青空に鋭く響い」ちゃっています！　「事象が融合する」というズバリの要素とは逆方向なので×！

③の「◎**事象の相互浸透性や融合性**」は、ズバリの要素と合致◎。でも最後の「△芭蕉の言葉づかいと高い境地を味わうべき」が意味不明なので、とりあえず△でキープします。

④の「△『さび』の境地」が気になった人は、鋭いですね！　でもここは一旦、△を付けて保留します。後半の「◎**事象を融合し、……日本人の美学**」は、ズバリの要素と完全に一致◎！　でも、まだ③が消し切れていないので、キープして次へ進みます。

⑤の「×静中の動」と「×動中の静」？　何かそれっぽい表現だけど……じゃあ蟬の声はどっち？　岩なんか完全に「静中の静」ですね。迷ったとき、なんとなく難しそうな選択肢に引きよせられる、弱い心を克服しましょう！　もちろん「タンコブ」で×！

「ズバリ法」⬇「消去法」と運用して、③と④が残りました。では最終段階へ……。

ここで「どっちかっていうと④の方が良い気がする～」とか「とりあえず③はない気がする～」なんて決め方をしちゃったら、**すべてが台無しです**。前者は「ズバリっぽいこと」、後者は「消去っぽいこと」をしているような気分で、実際は「勘だより」の「運まかせ」、正解率50％コース直行。そんな調子では、とても「9割」なんて保証できません。

最後に2つの選択肢まで絞ったら……**最終兵器**「**比較法**」**に切りかえ、美しく完璧に解きる**！　これが、9割保証の『スゴ技』スタイルです。2つの選択肢は「どっちがイイか？」「どっちがダメか？」ではなく、「**どう違うのか？**」という視点からアプローチします。

比較法

③と④は、それぞれ「なに」と「なに」が融合（一体化）している？

③　**蟬の声は岩という強い境界をもつ物体にしみ入り**、山寺の大いなる「閑さ」の中に吸い取られていく。このような事象の相互浸透性や融合性を一句の中にみごとに定着させた**芭蕉の言葉づかいと高い境地を味わうべき**である。

④　「しみ入」という表現は、芭蕉の理想とした「**さび**」**の境地**を示すものである。また、山寺の「閑さ」にひたり**自然と一体化している芭蕉の姿**には、事象を融合し、境界を不明確にすることをよしとする日本人の美学が示されている。

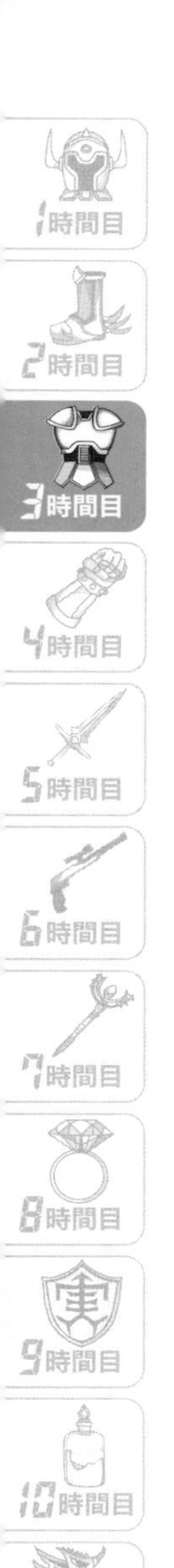

③「**蟬の声**」が「**岩**」にしみ入っている！

④「**自然**」と「**芭蕉**」が一体化している！

⬇「岩にしみ入る蟬の声」の「句の鑑賞」なんだから、③が大正解！

なになに？　あの有名な松尾芭蕉が迷彩服を着て、ジャングルと一体化しているって？

なお、③で△を付けていた、「芭蕉の**言葉づかい**（＝**センス**）と**高い境地**（＝**レベル**）を味わうべき」ですが、「句の鑑賞」という意味では、むしろピッタリな内容だったのです。

「比較法」を使うと、選択肢のチェックポイントがちゃんと浮き彫りになりますね。

逆に、④の「『さび』の境地」は、今回の筆者の論旨とは関係ない「**タンコブ**（**余分な情報**）」と判断して消去できました。このあたりの「消去法」のテクニックは、5時間目で詳しくレクチャーしますので、お楽しみに！

ということで〝1つの設問を完璧に解く〟という作業を体験していただきました。

なになに？　時間がかかりそう？　それでいいんです。まずは、「**ちゃんと手順**（**3段メソッド**）**通りに解けば、必ず正解できる！**」ということを体感してほしいのです。スピードアップはそのあとで大丈夫。ではもう一題、挑戦してみましょう。

私たちの日々の生活を顧みても、ある場面にいる自分と別の場面にいる自分とが、それぞれ異なった自分のように感じられることが多くなり、そこに一貫性を見出すことは難しくなっています。それらがまったく正反対の性質のものであることも少なくありません。最近の若い人たちは、このようなふるまい方を「キャラリング」とか「場面で動く」などと表現しますが、一貫したアイデンティティの持ち主では、むしろ生きづらい錯綜した世の中になっているのです。

しかし、ハローキティやミッフィーなどのキャラを思い起こせばすぐに気づくように、最小限の線で描かれた単純な造形は、私たちに強い印象を与え、また把握もしやすいものです。生身のキャラの場合も同様であって、あえて人格の多面性を削ぎ落とし、限定的な最小限の要素で描き出された人物像は、錯綜した不透明な人間関係を単純化し、透明化してくれるのです。

また、きわめて単純化された人物像は、どんなに場面が変化しようと臨機応変に対応することができます。日本発のハローキティやオランダ発のミッフィーが、いまや特定の文化を離れて万国で受け入れられているように、特定の状況を前提条件としなくても成り立つからです。生身のキャラにも、単純明快でくっきりとした輪郭が求められるのはそのためでしょう。

（土井隆義『キャラ化する／される子どもたち』による）

問 傍線部「生身のキャラにも、単純明快でくっきりとした輪郭が求められる」とあるが、それはなぜか。その説明として最も適当なものを、次の①〜⑤のうちから一つ選べ。

難易度 ★★★☆☆

① ハローキティやミッフィーなどは、最小限の線で造形されることで、国や文化の違いを超越して認識される存在になったが、人間の場合も、人物像が単純で一貫性をもっているほうが、他人と自分との違いが明確になり、互いの異なる価値観も認識されやすくなるから。

② ハローキティやミッフィーなどは、最小限の線で造形されることで、その個性を人びとが把握しやすくなったが、人間の場合も、人物像の個性がはっきりして際だっているほうが、他人と交際するときに自分の性格や行動パターンを把握されやすくなるから。

③ ハローキティやミッフィーなどは、最小限の線で造形されることで、特定の文化を離れて世界中で人気を得るようになったが、人間の場合も、人物像の多面性を削ることで個性を堅固にしたほうが、文化の異なる様々な国での活躍が評価されるようになるから。

④ ハローキティやミッフィーなどは、最小限の線で造形されることで、その特徴が人びとに広く受容されたが、人間の場合も、人物像の構成要素が限定的で少ないほうが、人間関係が明瞭になり、様々な場面の変化にも対応できる存在として広く受け入れられるから。

⑤ ハローキティやミッフィーなどは、最小限の線で造形されることで、様々な社会で人びとから親しまれるようになったが、人間の場合も、人物像が特定の状況に固執せずに素朴であるほうが、現代に生きづらさを感じる若者たちに親しまれるようになるから。

【ズバリ法】

ハローキティなどのキャラは、「最小限の線で描かれた単純な造形」なので、**人々に強い印象を与え、把握もしやすく、万国で受け入れられています。**では「生身のキャラ（＝人間）にも、単純明快でくっきりとした輪郭が求められる」のは、なぜでしょうか？

ℓ8　多面性を削ぎ落とし、最小限の要素で描き出された人物像

↓錯綜した人間関係を単純化し、透明化してくれるから！

ℓ10　きわめて単純化された人物像

↓場面が変化しようと臨機応変に対応できるから！

【消去法】

ここは、②④をキープして、①③⑤を消去する方針でいきますね。

①は「（人物像が）**一貫性をもっている**」が×。第一段落にもあるように、現代は「一貫したアイデンティティの持ち主」では、生きづらい世の中になっているのです。

③は「**文化の異なる様々な国での活躍が評価されるようになる**」という結論が「限定的なので×。
⑤は「**素朴であるほうが……若者たちに親しまれるようになる**」がナシで×。誰も彼もが、海外で評価されることを目指しているわけではないよね。

【比較法】

最後に、②と④の決定的な「違い」を見極めます。

△②　人物像の個性がはっきりして際だっている
　　→自分の性格や行動パターンを把握されやすくなる

◎④　人物像の構成要素が限定的で少ない
　　→人間関係が明瞭になり、様々な場面の変化にも対応できる存在として広く受け入れられる

「個性・性格・行動パターン」と、いわばパーソナリティをガッツリ把握しようという②に対して、「**構成要素を限定**（＝単純化）」し、「**人間関係を明瞭に**（＝透明化）」しようという、④の勝ち！「**様々な場面の変化にも対応できる**」の部分も、「**臨機応変に対応できる**」というズバリの要素とバッチリ対応しています。

「ズバリ！」「消去！」「比較！」の順番に、頭を切りかえる

「ズバリ法」「消去法」「比較法」。1つひとつを見れば、それほど目新しい解き方には感じないかもしれません。じつはこのメソッド、意識のなかできちんと使いわけ、ちゃんと順番通りに使用することによって、その威力を最大限に発揮するのです。手順を飛ばしたり、ゴチャ混ぜで使ったりすると、効果はガクンと下がります。要するに「3段メソッド」は、小手先のテクニックではなく、**頭を動かしていく順番**だと認識してください。

①「ズバリ法」＝設問文＆本文と戦い「答え」を決める！
⬇「ズバリの要素」を押さえるまで、絶対に「選択肢」を見ない！

②「消去法」＝選択肢に切りこんで「×」を指摘する！
⬇「ズバリの要素」をもとにして、×の「選択肢」を完璧に消す！

③「比較法」＝選択肢の決定的な「違い」を押さえる！
⬇「ズバリの要素」を忘れて、「選択肢」の〝違い〟にだけ集中！

例えば、**「ズバリ法＝打撃（パンチ）」**／**「消去法＝刀剣（ソード）」**／**「比較法＝小銃（ライフル）」**だとしましょう。

とにかく最初は、敵を**「打撃（パンチ）（ズバリ法）」だけで倒す**つもりで挑みます。これが一番手っ取り早いですからね！　ズバリ法こそ「最速」の攻略法なのです。でも、念のために**「刀剣（ソード）（消去法）」で完璧に切り刻み**ましょう。

本文から**「答え」を見つけだす「ズバリ法」**と、選択肢から**「×」を見つけだす「消去法」**。両者は、設問に対する別角度からのアプローチです。ズバリ法で③が選べて、消去法でも③が残ったら、**ものスゴ〜く高い確率で、③が正解！**　ってことになるでしょ？

さらに、「打撃（パンチ）（ズバリ法）」でも「刀剣（ソード）（消去法）」でも倒せない敵、すなわち、2つの選択肢まで絞って決めきれないときは、**スパッと「小銃（ライフル）（比較法）」に切りかえる**のです。倒せない敵に対して、いつまでも「打撃（パンチ）」や「刀剣（ソード）」でポカポカ殴りつづけるのは、時間のムダ。さっと「小銃（ライフル）」に持ちかえて、ズドンと打ちぬいてやりましょう！

まずは「ズバリ法」！　念のために「消去法」！　困ったときは「比較法」！

順番通り、きちんと頭を切りかえることができたら、**正解率は高いレベルで安定します**！

4時間目からは、「3段メソッド」1つずつの〝トリセツ〟を書いていきます。

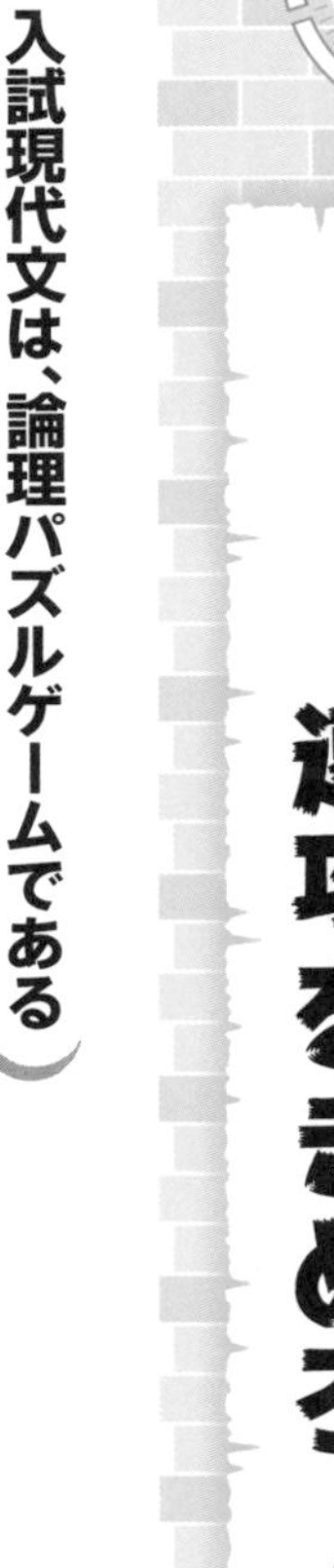

「ズバリ法」で速攻をきめろ！

Ex UP 入試現代文は、論理パズルゲームである

「私は［　　］です。」　さて問題です。空欄に入る言葉は、何でしょう？

①人間？　②高校生？　③孤独？　④パイナップル？　⑤バスコ・ダ・ガマ？

どれを入れても、読めないことはないですよね。だから現代文は「答えが1つとは限らないから、ムカつく」なんて偏見が広まってしまうわけですけど……、ここは頭を切りかえて、「答えは1つしかない！」という地点から逆算して考えましょう。

答えが1つしかない、ということは、**そこには必ず根拠（理由）がある**はずです。**根拠がない選択肢に、正解の権利はないのです**！　すなわち、現代文は「答えを当てる科目」という以前に、「**根拠を探しだす**、**論理パズルゲーム**」だと認識してください。

「姉は大学生ですが、私は［人間］です。」……読めなくはないけど、バランスがおかしいね。ここは「**大学生**」**と並立・対比関係にある**「**②高校生**」が適切。

「たった一人の親友が、遠くへ引っ越してしまった。だから私は**パイナップル**です。」

……ふざけすぎだね。**悲しい原因㊀を受けて、悲しい結果㊀の「③孤独」**が適切。

傍線部問題も同じです。傍線部は、本文全体のなかで、ちょっと「読みにくい部分」に設定されます。そもそも、傍線部が簡単な内容だったら、問題が作れないでしょ?

『私はオムライスが好きです』とあるが、どういうことか説明せよ。

ど、どういうことかっていわれても……これ以上、説明することなんてありません。

『日本の教育は、まるでオムライスである』とあるが、どういうことか説明せよ。

逆に今度は意味不明。入試現代文は、こうした**「読みにくい(理解しにくい)部分」をわざと狙って傍線部にしてくる**わけです。性格悪いでしょ?

しかし、本文の筆者は「読みにくい部分」を読みにくいまま放置しておくはずがありません(そんな読みにくい本だと、売れないからね)。自分の言いたいことを読者に伝えるため、筆者はどこかでより詳しく、もっとわかりやすく表現しているはずです。

それ(=ズバリの要素)を押さえて、選択肢ズド～～ン!!

これが、設問攻略《3段メソッド》第一弾、「ズバリ法」の基本戦術です。

「ズバリ法」使用マニュアル

①「設問解析」開始

↓設問文を正確に読み、ここでの「**自分の任務**（**何を問われているのか？　何を答えるのか？**）」を把握します。さらに突き詰めて、「どんな答えになりそうか？」「どの辺に書いてありそうか？」……ここでの15秒間の集中が、最終的に**1分間の時間短縮を実現する**のです！

つまり、何を探すのか？

②「ズバリの要素」回収

↓まずは傍線部の前後から探します。見つからなければ、「線引き」した箇所を頼りにして、捜索範囲を広げていきましょう。「ズバリの要素」は、まさに〝**要素**〟**として、なるべくコンパクトにゲットする**のが秘訣（ひけつ）です！

③正解を「ズバリ」選択

↓押さえた「ズバリの要素」が「アリか？◎」「ナシか？×」で、選択肢をテキパキ処理していきましょう。微妙な箇所は「△」でOK。

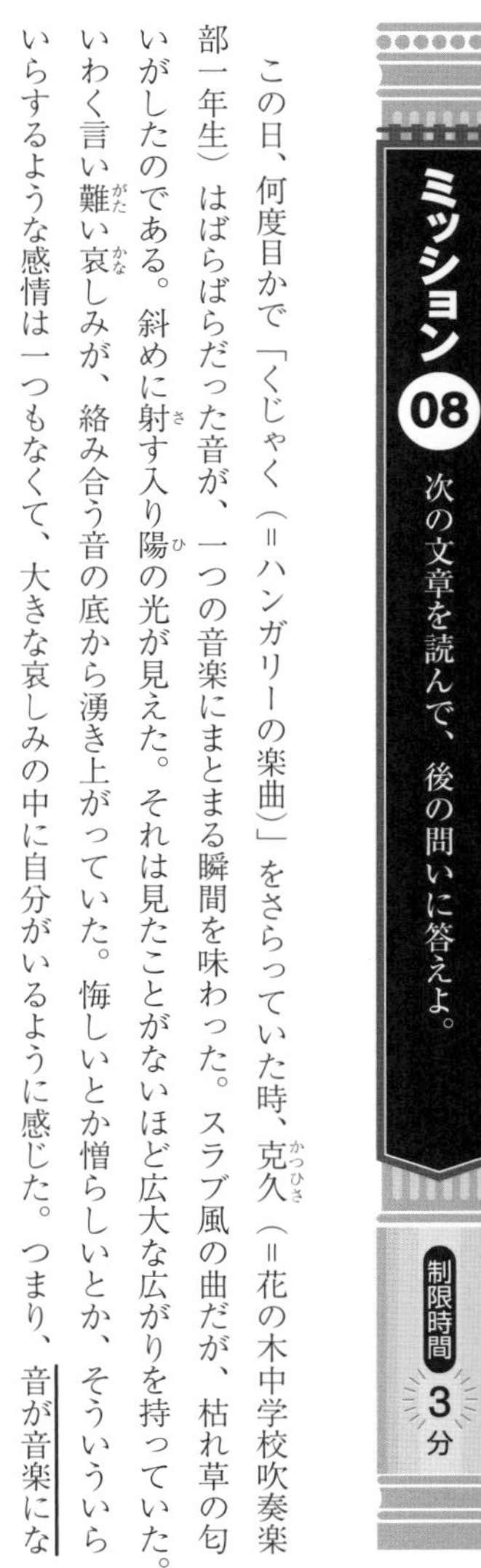

この日、何度目かで「くじゃく（＝ハンガリーの楽曲）」をさらっていた時、克久（＝花の木中学校吹奏楽部一年生）はばらばらだった音が、一つの音楽にまとまる瞬間を味わった。スラブ風の曲だが、枯れ草の匂いがしたのである。斜めに射す入り陽の光が見えた。それは見たことがないほど広大な広がりを持っていた。いわく言い難い哀しみが、絡み合う音の底から湧き上がっていた。悔しいとか憎らしいとか、そういういらいらするような感情は一つもなくて、大きな哀しみの中に自分がいるように感じた。つまり、音が音楽になろうとしていた。地区大会前日だった。 5

（中沢けい『楽隊のうさぎ』による）

問 傍線部「音が音楽になろうとしていた」とあるが、それはどういうことか。その説明として最も適当なものを、次の①〜⑤のうちから一つ選べ。

難易度 ★★★☆☆

① （各パートの音が融け合い、）具象化した感覚や純化した感情を克久に感じさせ始めたこと。

② （演奏が洗練され、）楽曲が本来もっている以上の魅力を克久に感じさせ始めたこと。

③ （演奏が上達し、）楽曲を譜面通りに奏でられるようになったと克久に感じさせ始めたこと。

④ （各パートの発する音が調和し、）圧倒するような迫力を克久に感じさせ始めたこと。

⑤ （各パートの音が精妙に組み合わさり、）うねるような躍動感を克久に感じさせ始めたこと。

設問解析

「音が音楽になろうとしていた」というのは、「下手くそでばらばらな音㊀」が、「ちゃんとした音楽㊉」になりはじめた、というニュアンスですよね。

傍線部直前の「つまり（要約）」を遡り、**演奏に関する㊉の表現**を回収します。

ズバリの要素回収

ℓ2「ばらばらだった音が、一つの音楽にまとまる瞬間を味わった」

ℓ2「枯れ草の匂いがした」

ℓ3「斜めに射す入り陽の光が見えた」

ℓ4「いわく言い難い哀しみが、絡み合う音の底から湧き上がっていた」

ℓ5「大きな哀しみの中に自分がいるように感じた」

つまり（＝）、

音が音楽になろうとしていた。

ズバリ選択

①の「**具象化した感覚**」（＝音楽を聴いた感覚を、具体的なモノで表現している）は、一見意味不明ですが……ズバリの要素「**枯れ草の匂い**」「**斜めに射す入り陽の光**」とバッチリ対応しています。また、単に「悲しい曲」ではなく、「**大きな哀しみ**（の中に自分がいる）」と表現しているのも、「**純化した感情**」とピッタリです。まさに完璧な正解！

②は「**楽曲が本来もっている以上の魅力**」が×。中学生がオリジナルを超えるなんて、いくら何でもうまくなりすぎです。むしろ、楽曲本来の魅力に近づいてきたから、演奏からイイ感じの雰囲気（枯れ草の匂い）が漂ってきたのではないでしょうか。

③の「**譜面通りに奏でられるようになった**」は、逆に初心者すぎるので×。「最後まで間違えずに演奏できた～」では、まだ大会に出られるレベルではありません。

④を選んだ人は要反省。だ～か～ら～、ズバリの要素は「枯れ草の匂い」とか「入り陽の光」でしょ？　「**圧倒するような迫力**」って……枯れ草何万トン分なのよ？（笑）

⑤も同様、「**うねるような躍動感**」が余分だから×。感覚だけで選んじゃダメですよ！

先にズバリの要素を押さえておかないと、①なんて、とても選べないよね！「**ズバリの要素」を押さえてから、「選択肢」を見る**。まずはこの手順を徹底していきましょう。

「設問解析」から積極的に勝負をかけろ

「**設問解析**」とは、簡単にいうと「**設問文をしっかり読みましょう**」ということです。ここでは、①「**設問文**＝**買い物メモ**」、②「**本文**＝**食料品売り場**」、③「**選択肢**＝**レジ**」にたとえて、その意義を説明していきます。「買い物メモ」には、「ニンジン1本・玉ねぎ2個・豚バラ肉200g・ルー（ジャワカレー中辛）」と丁寧に書かれている場合もあれば、たんに「カレーの材料」とか、「父の好きな例のアレ」なんて謎めいたメッセージの場合もあります。いずれにせよ、メモをしっかり〝**解析**〟すれば、**最短コースで過不足なく**買い物を済ませることができるでしょう。逆に、メモの解析が甘いと、「食料品売り場（本文）」を無駄にウロウロした挙句（＝**時間のロス！**）、《広告の品》なんて表示に引きよせられ（＝**設問のワナ！**）、不必要な物を衝動買い（＝**不正解！**）、なんてことになりかねません。なお、早目に「選択肢」を見ちゃうのは、とりあえず手ぶらで「レジ」に並ぶぐらいマヌケな行為だと思ってください。「**設問解析**」は、いわば3段メソッドの下準備にあたる作業ですが、じつは**全工程で最も頭を使う局面**だと言えます。とくに共通テストでは、**課題理解力**や**情報処理能力**が重視されますから、より高い意識で「設問解析」を実行していきましょう。

Ex UP

「傍線部問題」の傾向と対策

《1》イコール系問題　「（傍線部は）どういうことか？　説明せよ」

傍線部「リベンジに成功できた」とあるが、それはどういうことか？

⬇（解答例）前回敗れた相手に今回は勝ち、雪辱を果たせたということ。

傍線部問題の約60%を占めるのが、「イコール系問題」です。「日本語（傍線部）を日本語で説明せよ」というバカみたいな問題なのですが、これが成立するということは、傍線部**が難しい（説明が足りない・意味がわかりにくい）内容だ**ということです。傍線部のどこを（何を）説明しなきゃいけないのか、**「設問解析」で自分の任務をきちんと確認**しましょう。

《2》なぜ系問題　「（傍線部は）なぜか？　理由を説明せよ」

傍線部「リベンジに成功できた」とあるが、それはなぜか？

⬇（解答例）前回敗れた悔しさを忘れずに、しっかり練習を重ねたから。

「なぜ系問題」は、傍線部問題の約20%を占めます。因果関係を把握しなければならないため、「イコール系問題」よりも難易度は高くなります。**傍線部は良いこと㊉なのか？　悪いこと㊀なのか？　どんな答えになりそうか？**「設問解析」の段階で、解答の方向性をある程度まで想定するのが攻略のポイントです。

ヴェニスの商人――それは、人類の歴史の中で「ノアの洪水以前」から存在していた商業資本主義の体現者のことである。海をはるかへだてた中国やインドやペルシャまで航海をして絹やコショウや絨毯を安く買い、ヨーロッパに持ちかえって高く売りさばく。遠隔地とヨーロッパとのあいだに存在する価格の差異が、莫大な利潤としてかれの手元に残ることになる。すなわち、ヴェニスの商人が体現している商業資本主義とは、地理的に離れたふたつの国のあいだの価格の差異を媒介して利潤を生み出す方法である。そこでは、利潤は差異から生まれている。

だが、経済学という学問は、まさに、このヴェニスの商人を抹殺することから出発した。

年々の労働こそ、いずれの国においても、年々の生活のために消費されるあらゆる必需品と有用な物資を本源的に供給する基金であり、この必需品と有用な物資は、つねに国民の労働の直接の生産物であるか、またはそれと交換に他の国から輸入したものである。

『国富論』の冒頭にあるこのアダム・スミスの言葉は、一国の富の増大のためには外国貿易からの利潤を貨幣のかたちで蓄積しなければならないとする、重商主義者に対する挑戦状にほかならない。スミスは、一国の富の真の創造者を、遠隔地との価格の差異を媒介して利潤をかせぐ商業資本的活動にではなく、勃興しつつある産業資本主義のもとで汗水たらして労働する人間に見いだしたのである。それは、経済学における「人間主義宣言」であり、これ以後、経済学は「人間」を中心として展開されることになった。

（岩井克人「資本主義と「人間」」による）

問　傍線部「経済学という学問は、まさに、このヴェニスの商人を抹殺することから出発した」とあるが、それはどういうことか。その説明として最も適当なものを、次の①〜⑤のうちから一つ選べ。

難易度★★☆☆☆

① 経済学という学問は、差異を用いて莫大な利潤を得る仕組みを暴き、そうした利潤追求の不当性を糾弾することから始まったということ。

② 経済学という学問は、差異を用いて利潤を生み出す産業資本主義の方法を排除し、重商主義に挑戦することから始まったということ。

③ 経済学という学問は、差異が利潤をもたらすという認識を退け、人間の労働を富の創出の中心に位置づけることから始まったということ。

④ 経済学という学問は、労働する個人が富を得ることを否定し、国家の富を増大させる行為を推進することから始まったということ。

⑤ 経済学という学問は、地域間の価格差を利用して利潤を得る行為を批判し、労働者の人権を擁護することから始まったということ。

傍線部のどこを説明しなきゃいけないのか、確認しましょう。

設問解析

「イコール系問題」攻略！

「**経済学**という学問は、まさに、この**ヴェニスの商人**を**抹殺する**ことから出発した」

「**経済学**」？「**ヴェニスの商人**」？ この2つの言葉は、それぞれ何を表しているのか？

ズバリの要素回収

ⓐ「**ヴェニスの商人**」（**商業資本主義**）

＝**価格の差異**を媒介して利潤を生み出す方法

利潤は**差異**から生まれている

ⓑ「**経済学**」（**産業資本主義**）

＝（富の真の創造者を）**汗水たらして労働する人間**に見いだした

「**人間主義宣言**」・経済学は「**人間**」を中心として展開されることになった

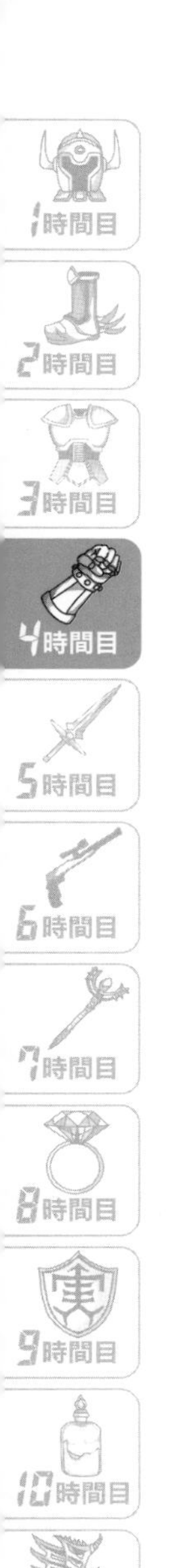

ズバリ選択

①「差異◎／人間×」②「差異◎／人間×」③「差異◎／人間◎」
④「差異×／人間×」⑤「価格差◎／人間×」（「人権」は「人間」とは違います）

【ヴェニスの商人＝「差異」／経済学＝「人間」】……ズバリの要素が両方そろっているのは③だけですから、これが正解！　めちゃくちゃ速いでしょ？

《テニスとバドミントンの違いは？》⬇【テニス＝ボールを打つ／バドミントン＝ボールを打たない】……これでは、説明不足ですよね。この場合、「ボール」と「シャトル」**は絶対に欠かせない要素**となります。**ズバリの要素を基準にして、**「ナシ・ナシ・アリ・ナシ・ナシ」**と切りすてる！**　このスピード感を、ぜひとも習得してください。

消去法

念のために、「消去法」で選択肢を処分していきます。①は「**そうした利潤追求の不当性を糾弾する**」が余分（タンコブ）だから×。②は「**産業資本主義の方法を排除し**」が×。これが「商業資本主義」だったら正解でもよかったけどね。④は「**個人（の富）／国家の富**」という対比関係（ペア）がナシで×。⑤は「**労働者の人権を擁護する**」が×。経済学では、労働する人間自身が中心であり、守るべき弱々しい存在ではありません。

小六の少年はまたいう。かんけりは隠れているとき、とっても幸福なんだよ。なんだか温かい気持ちがする。いつまででも隠れていて、もう絶対に出て来たくなくなるんだ。管理塔からの監視の死角に隠れているとき、一人であっても、あるいは二、三人がいっしょであっても、羊水に包まれたような安堵感が生まれる。いうまでもなくこの「籠り」は、管理社会化した市民社会からのアジール（避難所）創建の身ぶりなのだ。市民社会からの離脱と内閉において、かいこがまゆをつくるように、もう一つのコスモスが姿を現してくる。それは、胎内空間にも似て、根源的な相互的共同性に充ちたコスモスである。おとなも子どもも、そこで、見失った自分の内なる〈子ども〉、〈無垢なる子ども〉に再会するのである。

小六の男の子は最後にもう一つつけ加えていう。かんけりは「陣オニ」と違ってほかの人を救おうとするの。自分も救われたいけれど、つかまった仲間を助けなくちゃって、夢中になるのが楽しい。だけどオニは大変だな。オニは気の毒だから何回かかんを蹴られたら交替するんだ。実際、かんけりでは、隠れた者は誰もオニに見つかって市民社会に復帰したいとは考えない。運悪く捕われても、勇者が忽然と現れて自分を救出してくれることを願っている。隠れた者が囚われた友を奪い返して帰って来ようとするのは、つねにアジールの方、市民社会の制外的領域である。オニが「気の毒」であるのは、オニが最初から市民社会の住人であるかぎり、隠れた者を何人見つけても、そのことで自分が市民社会に復帰するドラマを経験しようがないからである。隠れる者は市民社会では囚われ人以外ではなく、したがって、オニは管理者であることをやめる

ことはできない。

（栗原彬「かんけりの政治学」による）

問　傍線部「隠れた者が囚われた友を奪い返して帰って来ようとするのは、つねにアジールの方、市民社会の制外的領域である」とあるが、それはなぜか。その説明として最も適当なものを、次の①〜⑤のうちから一つ選べ。

難易度 ★★★☆☆

① 隠れた者にとって、かんを蹴って友を助ける行為は仲間を哀れむ思いの高まりの結果であり、（中略）仲間を救う優しさをもち続けることを意味するから。

② 隠れた者にとって、かんを蹴って友を助ける行為はかんを蹴る行為そのものに対する歓（よろこ）びに根ざしており、（中略）自己だけでなく他者をも再生できることを意味するから。

③ 隠れた者にとって、かんを蹴って友を助ける行為は心身が汚れていない自己の発見に起因しており、（中略）多様な人生のあり方を見つめ直すことを意味するから。

④ 隠れた者にとって、かんを蹴って友を助ける行為は仲間との連帯感に基づくものであり、（中略）安らぎのある共同性のなかに居続けることを意味するから。

⑤ 隠れた者にとって、かんを蹴って友を助ける行為は一人で生きる孤独への不安に由来するものであり、（中略）仲間とともにあり続けることを意味するから。

設問解析

「なぜ系問題」攻略！ 何を問われ、何を探すのか？ 設問の核心に迫りましょう。

「**隠れた者**が囚(とら)われた友を奪い返して帰って来ようとするのは、つねに**アジールの方**、市民社会の制外的領域である」➡**それはなぜか**？

《良いこと⊕》の理由は「良い内容⊕」、**《悪いこと⊖》の理由は「悪い内容⊖」になる**。これは「なぜ系問題」の根本原理です。例えば、《喜んだ⊕》理由は、「成績が伸びたから⊕」です。《寝坊した⊖》理由は、「夜更(ふ)かししたから⊖」です。**《隠れた者が、アジールの方へ帰って来ようとする⊕》**理由は……「**アジールが、魅力的な場所だから⊕**」です！ それでは、本文から「アジール（市民社会の制外的領域）」の⊕要素を回収しましょう。

ズバリの要素回収

ℓ4 「**アジール**（避難所）」⊕＝

ℓ3「羊水に包まれたような安堵感（のある場所）」⊕
ℓ6「根源的な相互的共同性に充ちたコスモス」⊕

ズバリ選択＋消去法

①は「**仲間を哀れむ思いの高まりの結果**」が×。これは本人の心の問題であり、「アジールに帰ってくる理由」にはなっていません。

②は「**かんを蹴る行為そのものに対する歓び**」が×。「快、カ〜ン！」って、ちょっと待ってください。これだと「かんを蹴るのはなぜか？」の答えになっちゃいます。

③は「**心身が汚れていない自己の発見**」「**多様な人生のあり方**」が余分（タンコブ）で×。

④の「**仲間との連帯感**」「**安らぎのある共同性のなかに居続けること**」は、ズバリの要素「相互的共同性」「安堵感」と見事に合致しますね。これがバッチリ正解！

⑤は「**一人で生きる孤独への不安に由来するもの**」という動機が⊖だから×。独りぼっち⊖が淋しいからではなく、アジール⊕が素敵な場所だから、皆帰ってくるのです。

「**設問解析**」**からの**「**ズバリ法**」！　この流れをしっかりマスターしてください！

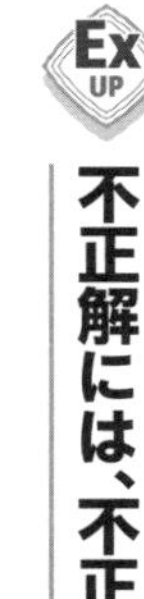

不正解には、不正解の理由がある！

人生では、さまざまな場面で、さまざまな「選択肢」に出会います。

どの大学を受けるのか？　どの職業を目指すのか？　どのメガネが似合うのか？　お昼に何ラーメンを食べるのか？　豚骨(とんこつ)？　塩？　醤油(しょうゆ)？　味噌(みそ)？　魚介？　つけ麺(めん)？　担々麺(たんたんめん)？

そうした人生の選択肢の多くに、「**たった1つの正しい答え**」があるとは限りません。答えとなるものが「複数」あったり、ある意味で「全部」正解だったり、あるいは正解が「ゼロ」という場合もあるでしょう。自分に似合う「正解のメガネ」が、世界にたった1つしかないとすると……私たちは、**果てしないメガネ探しの旅**に出発するはめになります！

それに比べて共通テスト現代文には、**たった1つの正しい答え**があります。そして、**残りは全部きちんと×**なのです。そう考えると、**人生よりもラーメンよりもメガネよりもず～っ**

とわかりやすい世界だと思いませんか？　さて、5時間目「消去法」の講義では、**「ちゃんと×の選択肢が、４つある」**という事実に注目していきます。

「醤油も嫌いじゃないけど～、どっちかっていうと、塩の方が好きかも～」なんていう、相対的な関係性ではありません。現代文の×の選択肢は、**絶対的に「ちゃんと×」**なのです！

「ちゃんと×」の選択肢には、**必ず「×の根拠」が埋めこまれています。**

「どこが・なぜ×なのか？」、その根拠をきちんと指摘する!!

これが、《3段メソッド》第2弾、「消去法」の本質です。選択肢の数字（①～⑤）に「✓」をチョンチョンと付けていく作業が「消去法」なのではありません。

自信を持って素早く「×のポイント」を指摘するためには、**基準として**、「**◎の要素**（＝**ズバリの要素**）」**をガッチリ押さえておく必要がありますよね。**例えば、「赤いTシャツ」を買うと決めているからこそ、「青いTシャツ」や「赤い靴下」を素早く消去できるのです。

すなわち「**①ズバリ法**」**あっての**、「**②消去法**」！　この順序は常に意識してください！

それでは、テクニックとしての「消去法」を、しっかり学習していきましょう。

【決定版！　選択肢×パターン集】

今まで「なんとなく×」にしていた選択肢を、**速く・美しく・完璧に消去するスペシャルテクニック**、「**選択肢×パターン**」を一挙大放出！　積極的に使って覚えてください！

【0】正解例

次の内容を正解の基準として、以下のパターンを検証していきます。

◎　大阪には、阪神ファンが多い。

【1】タンコブ型　〔頻出度★★★★★／難易度★★☆☆☆〕

本文には書かれていない「余分な情報（＝タンコブ）」がくっついているため、×になるタイプ。センター試験の時代から不動の、頻出度第一位のパターンです。

×　大阪と奈良には、阪神ファンが多い。※「タンコブ」＝〝余分な出っ張り〟が付いている

×　大阪には、阪神となにわ男子のファンが多い。

【2】断定型 〔頻出度★★★★☆／難易度★★☆☆☆〕

内容を100％で「断定（全否定）」しているため、×になるタイプ。

× 大阪人は、全員阪神ファンである。 ※一人でも例外がいれば×になってしまう

× 大阪以外に阪神ファンは一人もいない。 ※“全否定”も、同じく「断定」として処理

× 大阪に阪神ファンが多いのは、普遍的真理だ。 ※「断定」的な意味の語句は要注意

【3】限定型 〔頻出度★★★★☆／難易度★★★☆☆〕

内容を一部分だけに「限定」しているため、×になるタイプ。近年頻出！

× 大阪だけ、阪神ファンが多い。 ※「だけ・のみ・しか」などがあれば、まずは疑ってみる

× 大阪には、阪神のみを応援する人が多い。

× 大阪には、佐藤輝明選手のファンが多い。 ※「だけ」などを使わない限定型が超頻出

【4】前提・条件型 〔頻出度★★★★☆／難易度★★★★☆〕

「前提」や「条件」が間違っている（不要である）ため、×になるタイプ。

× 大阪は、季節風の影響で、阪神ファンが多い。 ※「前提」の部分が余分（タンコブ）

【5】比較型

〔頻出度★★★☆☆／難易度★★☆☆☆〕

余計な「比較」関係が組み込まれているため、×になるタイプ。

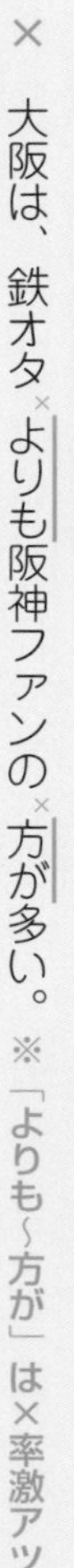

× 大阪は、鉄オタよりも阪神ファンの方が多い。

※「よりも〜方が」は×率激アツ

【6】逆転型

〔頻出度★★☆☆☆／難易度★★★★☆〕

原因／結果など、要素の関係が「逆転」しているため、×になるタイプ。

× 阪神には、大阪ファンが多い。

※難しい内容どうしが逆転すると気づきにくいので要注意

【7】ペア違い型

〔頻出度★★☆☆☆／難易度★★★☆☆〕

本文に書いてあっても、ここで答えるべき「ペア」ではないため、×になるタイプ。

× 東京には、巨人ファンが多い。

※「ペア」として捉えた方が消去しやすい場合がある

【8】中身ナシ型

〔頻出度★☆☆☆☆／難易度★★★★★〕

間違いではないが、解答の核心に届いていないので×（or△）と判断するタイプ。

× 大阪には、東京とは違う文化がある。

※どう違うのか「中身」に触れられていない

【9】時間ズレ型

〔頻出度★★★☆☆／難易度★★★☆☆〕

「時間的なズレ」を狙った選択肢パターン。文学的文章で頻出。

× 大阪は、しだいに阪神ファンが増えてきている。 ※出来事の「前後関係」などに注意

【10】名言型

〔頻出度★★☆☆☆／難易度★☆☆☆☆〕

「いかにも正しいこと」が書いてあると、引き寄せられがちです。気をつけようね。

× 阪神は、ファンの熱い声援に支えられている。 ※冷静に考えるとフツーに×です

【番外】大は小を兼ねる！

〔頻出度★★★☆☆／難易度★★☆☆☆〕

同じ方向性の選択肢で、内容に大小関係がある場合、他を包含する「大きいヤツ」が正解になる確率が高い、というパターン。語句知識問題で頻出。

△① 大阪では、大気汚染が問題となっている。 ※④の中に含まれている（小）

△② 大阪では、水質汚染が問題となっている。 ※④の中に含まれている（小）

△③ 大阪では、土壌汚染が問題となっている。 ※④の中に含まれている（小）

○④ 大阪では、環境汚染が問題となっている。 ※他の要素を含んでいる（大）

「消去法」使用マニュアル

①「ズバリの要素」を確認

↓選択肢は5つ中4つが×、すなわち「80％ウソの世界」です。そこへ何の情報も持たずに手ブラで飛び込むなんて、自滅行為ですね。選択肢は、**「正解」の基準があるからこそ、「間違い」を指摘（＝消去）できる**のです。「ズバリの要素」をガッチリ押さえるまで、絶対に選択肢を見ない！　これが「消去法」の第一原則です。

②「選択肢チェック」実行

↓記号（①～⑤）に「✓」印を付けることが「消去法」ではありません。各選択肢の「どこが・なぜ×なのか？」、選択肢自体に「──」や「○」を使って**きっちり指摘しましょう**。また、積極的に「○・×・△」マークも付けていってください。

③「選択肢×パターン」活用

↓「①タンコブ」「②断定」「③限定」……「選択肢×パターン」のトップ3は、非常に頻出度が高いです。常に念頭におきながら、選択肢に臨んでください。

ミッション 11

次の文章を読んで、後の問いに答えよ。

制限時間 3分

一匹の鬼がひっそりと女の貌(かお)をして人間(じんかん)にひそんでいることは、一方からみれば哀(かな)しいことではあるが、一方からみれば、またたいへん怖(おそ)ろしいことであるにちがいない。たとえば『今昔物語』は、山深く住む猟師の兄弟の母が、いつのまにか鬼になっていて、子を食おうとしたという話を伝えている。母という最も安心できる、日常そのものの代表のような部分が、いつのまにか怖ろしいものに変質しているという、このこわさは、ことの異様さ以上に示唆的で、日常的な安心や油断の中に思いがけずしのびこんでいる敵意や、目に見えず変質しているものの危うさを感じさせる。

（馬場あき子「おんなの鬼」による）

問 傍線部「一匹の鬼がひっそりと……またたいへん怖ろしいことであるにちがいない」とあるが、なぜ「たいへん怖ろしい」のか。その理由として最も適切なものを、次の①～⑤のうちから一つ選べ。（※①～④の選択肢の、それぞれ「どこが・なぜ×なのか？」、きちんと指摘してください！）

難易度 ★☆☆☆

① 鬼は日常の世界とは異質な怪異の世界のものとして人間をさいなむものだから。
② 悲哀が深まれば深まるだけ惨虐なイメージが日常性を帯びることになるから。
③ 自らのうちにひそむ鬼の性が日常の世界を変貌させてしまうから。
④ 日常の世界が怪異の突然の出現によって脅かされることを示唆しているから。
⑤ 日常的なものが思いがけないものに変容する危険性をはらんでいるから。

1時間目 2時間目 3時間目 4時間目 5時間目 6時間目 7時間目 8時間目 9時間目 10時間目 最終確認テスト

ズバリ法

なぜ「たいへん怖ろしい」のか？　＝「**日常的な安心や油断の中に**思いがけずしのびこんでいる**敵意や、**目に見えず変質している**ものの危うさを感じさせる**（から。）」

消去法

①「**鬼は日常の世界とは異質な怪異の世界のもの**」が×。鬼は日常のなかに「しのびこんでいる」のだから、「異質な」を〇で囲って消去するのがポイント。あと、「**人間をさいなむ**（＝責めたてる）」がタンコブで×でした。

②「**悲哀が深まれば深まるだけ**」という前提が×。また「**惨虐なイメージ**」と「**日常性**」が逆転型で×。「惨虐な鬼㊀」が「ほのぼの日常的㊉」になるのではありません。

③「**自らのうちにひそむ**」という前提が×。キミじゃなくて、お母さんが鬼だ！

④「**怪異の突然の出現**」が×。鬼は姿を変え、すでに日常にしのびこんでいるのです。

⑤「**日常的なものが**◎**思いがけないものに**◎**変容する危険性**」は、ズバリの要素がバッチリ入っていますね。もちろん、これが正解！

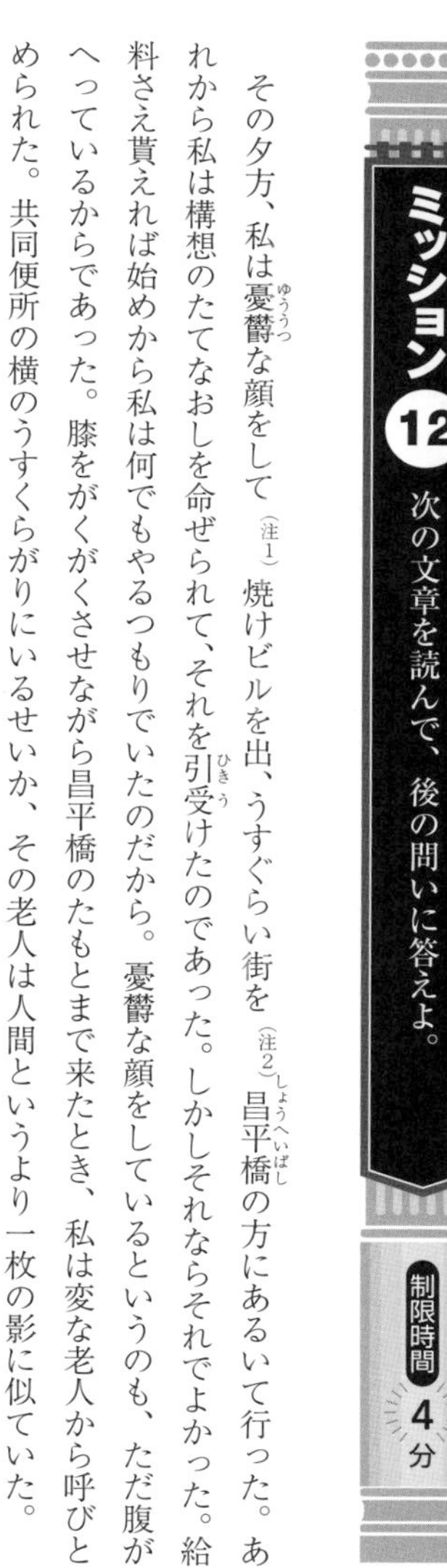

　その夕方、私は憂鬱(ゆううつ)な顔をして(注1)焼けビルを出、うすぐらい街を(注2)昌平橋(しょうへいばし)の方にあるいて行った。あれから私は構想のたてなおしを命ぜられて、それを引受(ひきう)けたのであった。しかしそれならそれでよかった。給料さえ貰えれば始めから私は何でもやるつもりでいたのだから。憂鬱な顔をしているというのも、ただ腹がへっているからであった。膝をがくがくさせながら昌平橋のたもとまで来たとき、私は変な老人から呼びとめられた。共同便所の横のうすくらがりにいるせいか、その老人は人間というより一枚の影に似ていた。

「旦那」声をぜいぜいふるわせながら老人は手を出した。「昨日から、何も食っていないんです。ほんとに何も食っていないんです。たった一食でもよろしいから、めぐんでやって下さいな。旦那、おねがいです」

　老人は(注3)外套(がいとう)も着ていなかった。顔はくろくよごれていて、上衣(うわぎ)の袖から出た手は、ぎょっとするほど細かった。身体が小刻みに動いていて、立っていることも精いっぱいであるらしかった。老人の骨ばった指が私の外套の袖にからんだ。私はある苦痛をしのびながらそれを振りはらった。

「ないんだよ。僕も一食ずつしか食べていないんだ。ぎりぎり計算して食っているんだ。とても分けてあげられないんだよ」

「そうでしょうが、旦那、あたしは昨日からなにも食っていないんです。何なら、この上衣を(注4)抵当に入れてもよござんす。一食だけ。ね。一食だけでいいんです」

　老人の眼(め)は暗がりの中でもぎらぎら光っていて、まるで眼球が瞼(まぶた)のそとにとびだしているような具合であった。頬はげっそりしなびていて、そこから咽喉にかけてざらざらに鳥肌が立っていた。

「ねえ。旦那。お願い。お願いです」

頭をふらふらと下げる老爺よりもどんなに私の方が頭を下げて願いたかったことだろう。あたりに人眼がなければ私はひざまずいて、これ以上自分を苦しめて呉れるなと、老爺にむかって頭をさげていたかも知れないのだ。しかし私は、自分でもおどろくほど邪険な口調で、老爺にこたえていた。

「駄目だよ。無いといったら無いよ。誰か他の人にでも頼みな」

暫くの後私は食堂のかたい椅子にかけて、変な臭いのする魚の煮付と芋まじりの少量の飯をぼそぼそと噛んでいた。しきりに胸を熱くして来るものがあって、食物の味もわからない位だった。


（梅崎春生「飢えの季節」（一九四八年発表）による）

（注）1　焼けビル――戦災で焼け残ったビル。「私」の勤め先がある。
2　昌平橋――現在の東京都千代田区にある、神田川にかかる橋。そのたもとに「私」の行きつけの食堂がある。
3　外套――防寒・防雨のため洋服の上に着る衣類。オーバーコート。
4　抵当――金銭などを借りて返せなくなったときに、貸し手が自由に扱える借り手側の権利や財産。

問　傍線部「自分でもおどろくほど邪険な口調で、老爺にこたえていた」とあるが、ここに至るまでの「私」の心の動きはどのようなものか。その説明として最も適当なものを、次の①〜⑤のうちから一つ選べ。

① ぎりぎり計算して食べている自分より、老爺の飢えのほうが深刻だと痛感した「私」は、彼の懇願に対してせめて丁寧な態度で断りたいと思いはしたが、人目をはばからず無心を続ける老爺にいら立った。

② 一食を得るために上衣さえ差し出そうとする老爺の様子を見た「私」は、彼を救えないことに対し頭を下げ許しを乞いたいと思いつつ、周りの視線を気にしてそれもできない自分へのいらだちを募らせた。

③ 飢えから逃れようと必死に頭を下げる老爺の姿に自分と重なるところがあると感じた「私」は、自分も食べていないことを話し説得を試みたが、食物をねだり続ける老爺に自分にはない厚かましさも感じた。

④ 頬の肉がげっそりと落ちた老爺のやせ細り方に同情した「私」は、彼の願いに応えられないことに罪悪感を抱いていたが、後ろめたさに付け込み、どこまでも食い下がる老爺のしつこさに嫌悪感を覚えた。

⑤ かろうじて立っている様子の老爺の懇願に応じることのできない「私」は、苦痛を感じながら耐えていたが、なおもすがりつく老爺の必死の態度に接し、彼に向き合うことから逃れたい衝動に駆られた。

では、傍線部までの展開と「私」の心情描写を整理していきましょう。

ズバリ法

（1）職場を出た「私」は、腹ペコで膝をガクガクさせながら食堂へ向かう。
（2）途中、ガリガリの老人に「一食でいいからめぐんでほしい」と呼びとめられる。
＝胸が痛むけれど、自分もギリギリで余裕がないから、助けてあげられない。
→**私はある苦痛をしのびながらそれを振りはらった。**
（3）それでも老人はすがりつき、頭を下げて必死に懇願してくる。
＝本当に可哀そうだと思いますが、助けられない私をどうか許してください！
→**あたりに人眼がなければ私はひざまずいて、これ以上自分を苦しめて呉れるなと、老爺にむかって頭をさげていたかも知れないのだ。**
（4）しかし私は、自分でもおどろくほど邪険な口調で、老爺にこたえていた。
→**「駄目だよ。無いといったら無いよ。誰か他の人にでも頼みな」**
＝もう、どっか行け〜〜！（この状況に向き合う苦しみに耐えかね、逆ギレ！）

消去法

① まず「**自分×より、老爺の飢えの×ほうが深刻だ**」が比較型で×。「私」は、自分と比較した結果として老爺に同情しているわけではありません。これだと、もっとガリガリで深刻な子猫が登場したら、さらにそっちに同情する理屈になりますよね。そして、「×**丁寧な態度で断りたい**」「×**老爺にいら立った**」がタンコブで×。

② 「**周りの視線を気にしてそれ**（頭を下げること）**もできない×自分へのいらだち**」が限定で×。「私」は、哀れな老人を救えないという葛藤に苦しんでいるのであり、「頭を下げたい／下げられない」という、限定的な理由でいら立っているのではありません。

③ 「×**老爺の姿に自分と重なるところがある**」「×**老爺に自分にはない厚かましさも感じた**」が、共にタンコブで×。

④ まず「**老爺の×やせ細り方に同情した**」が限定で×。「私」は老爺の「境遇全体」に同情していると考えるべきですね。また「×**後ろめたさに付け込み**」という前提が×。さらに「×**老爺のしつこさに嫌悪感**」がタンコブで×。

⑤ 「**苦痛を感じながら△耐えていた**」がちょっと微妙ですが、傍線部で感情が爆発することを考えたら、この段階ではまだ「耐えていた」で良いんでしょうね。そして「◎**彼に向き合うことから逃れたい衝動**」は完璧ですね。これが正解！　……ではもう一問。

（現代の日本は「ロスト近代」社会という、今後は大きな経済発展を望めないだろうという「失速感」に規定された時代である。）とりわけ一九九〇年代中盤以降の現実として、「護送船団方式」と呼ばれる官主導の社会運営が機能しなくなってきた。社会があまりにも複雑になり、官主導の経済政策は、思ったほどの成果をあげることができなくなってきた。そこで政府は、さまざまな規制緩和政策を打ち出して、いわゆる「勝ち組」と呼ばれる新たな富裕層に、経済成長の牽引（けんいん）力を期待するようになった。ときはちょうど、グローバリゼーションが話題となった時代とも重なり、「勝ち組／負け組」という格差が問題化した時期でもあった。

ところが自由競争のもとで、日本社会は思わぬ事態に陥った。負け組と呼ばれる低所得層の人びとは、もはやいっしょうけんめいに働いても、「努力が報われない」と感じるようになる。人びとは、「ワンランク上」を目指して努力するよりも、欲求水準そのものをクール・ダウンするようになっていく。「勤勉」に働くことが報われず、「欲望」消費の快楽を期待できないような社会になる。するともはや、富裕層による消費の拡大は、経済全体を牽引することができなくなる。自分よりもワンランク上の「勝ち組」の欲望を模倣（エミュレーション）するためには、一定の所得が必要である。ところがそのような所得が見込めないところでは、人びとはさしあたって、各私化された欲望を抱くようになる。欲望のエネルギーは、「勝ち組の欲望を真似（まね）する」のではなく、「自分がしたいことをする」という水準にまで、収縮してしまう。けれどもいったい「自分がしたいこと」とは、何であろうか。セレブな生活に羨望を抱かず、「自分がしたいこと」をして満足できるためには、まず自分を好きになる必要がある。「自己への愛」でもって満足する必要がある。だが自分とは、何なのか。それが分からなければ、「自分探し」の旅に出なければならない。けれども旅に出るだけの余裕がなければ、人々はさしあたって、ネット上に「自己の快楽」を求める主体へと向かうのではないだろうか。

（橋本努（はしもとつとむ）『ロスト近代――資本主義の新たな駆動因』による）

問 傍線部「各私化された欲望を抱くようになる」とあるが、それはどういうことか。その説明として最も適当なものを、次の①～⑤のうちから一つ選べ。 難易度★★★★☆

① グローバリゼーションの急速な拡大から、個人が目前の社会や他者との関わりを放棄して、潜在的な欲望を充足させる情報の消費によって人生を楽しむ術を身につけはじめるようになること。

② 経済成長の停滞の下で、労働による生活の上昇にも消費の欲望にも幻滅を覚え、自分が本来したいことは何かという水準にまで欲望のエネルギーを縮小させ、自己の探究へと向かうようになること。

③ 日本経済の低迷に伴って、自分のできることは何かという先行きへの不安が広がり、競争原理に巻き込まれまいとして自分探しに力を入れ、結局自己中心的な消費にはまり込むようになること。

④ 欲望に流されがちな個人のあり方への反省から、自分の創造的な力を引き出し、日常において隠されていた自然につながる生活を追い求め、多種多様な行動に自由にいそしむようになること。

⑤ 情報技術が高度に進化して個々人がネットに接続できるようになり、現実ではなくメディアが提供する無料コンテンツの中に快楽を求めて、自己の欲望を満たしはじめるようになること。

「ロスト近代」社会は、「勤勉」に働くことが報われる社会（＝近代社会）ではなく、「欲望」消費の快楽を期待できる社会（＝ポスト近代社会）でもない、ちょいと残念な社会なのです。とくに「負け組」と呼ばれる低所得層の人々は「努力が報われない」ものだと感じていて、欲望水準そのものをクール・ダウンする方向になっていきます。

ズバリ法

「各私化（＝各個人化）された欲望を抱くようになる」とあるが、どういうことか？
＝「勝ち組の欲望」の真似ではなく、「自分がしたいこと」をする水準に下げる…。
↓その「自分」とは何なのかを確認するため、「自分探し」の旅に出発する…。
↓旅に出るお金のない人は、ネット上で「自己の快楽」を求めるしかない…。

消去法

① まず「目前の社会や他者との関わりを放棄して」が断定で×。他者との関わりを完全に放棄するなんて不可能です。また「潜在的な欲望」が、タンコブで×。

②「◎自分が本来したいことは何か……縮小させ」「◎自己の探究へと向かうようになる」は、共にズバリの要素と合致しますね。ハイ正解。

③「×先行きへの不安」がタンコブで×。さらに「×競争原理に巻き込まれまいとして自分探しに力を入れ」も前提がタンコブで×。「タンコブ」って感覚、つかめてきたかな？ついでに「×自己中心的な消費㊀」って言い方も、余計なお世話だよな〜。

④「×欲望に流されがちな個人のあり方への×反省」「自分の×創造的な力」「×自然につながる生活を追い求め」って、こりゃボコボコだね〜。

⑤これをきちんと消去できたら、「消去法」マスター認定！「×個々人がネットに接続できるようになり」→「◎メディアが提供する……自己の欲望を満たしはじめるようになる」……後半は悪くないんです。ただ、それにつながる前提が×なのです。「負け組」の人々がネット上で「自己の快楽」を求めるのは「自分探し」の延長であって、「ネットに接続できるようになった」ことが根本原因ではありません。そもそも「各私化された欲望」の説明が、「ネットの快楽」だけに限定で×、といえるでしょう。

「消去法」は、極めるべき《技術》です！いつの間にやら自然と身につくものではありません。いつでもスイスイ使えるレベルまで、しっかり身体に刷り込んでください！

「比較法」で終止符を打つ！

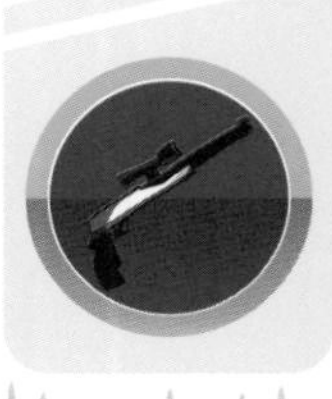

Ex UP アーサイショ・ニニシテタノニー症候群？

最後に2つの選択肢で迷って、「②かな？ いや、④か？ いや……やっぱり④で！」《**残念！ 正解は、②でした！**》「あ〜〜〜〜！ 最初、②にしてたのにぃ〜〜〜〜！」

〝文部科学省によりますと、こうした「アーサイショ・ニニシテタノニー症候群」が全国各地で猛威をふるっており、各教育機関へ注意を呼びかけております〟

完全に2つで迷った選択肢問題が、最終的に正解できる可能性は……ジャスト50%です。この確率をぶっ壊す、まさに**チート級の設問攻略法**。それが「比較法」です！

本書は「9割とれる」なんて大風呂敷を広げておりますが、**「比較法」をマスターしない限り、そこは保証できません**。キミの夢の実現のためにも、また、本書が誇大広告として通報されないためにも、絶対にマスターしなければならない技術なのです！ 頼むぞ！

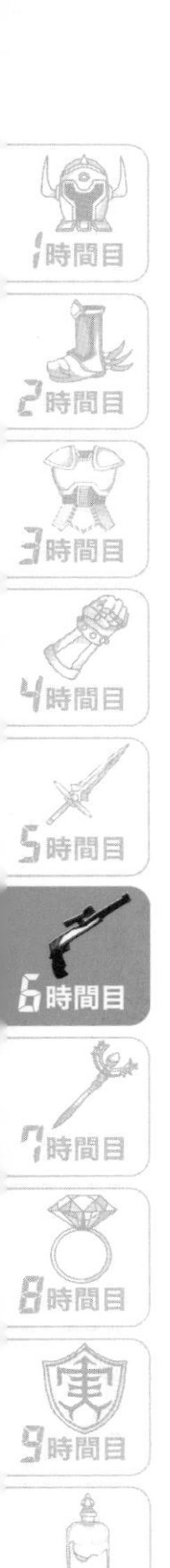

2つの選択肢で迷ってからが、やっと「本番」

まず大前提として、**共通テスト現代文の5つの選択肢は、すべて違う内容です**。もし完全に同じ内容の選択肢が2つあったら、それらは両方とも×ですから無視しましょう。ってことは……**キミが今迷っている2つの選択肢も、必ずどこかが違うはず**ですよね？

そこで、「どっちがイイか？」「どっちがダメか？」という視点は一旦置いて、

「どう違うのか？」……両選択肢の決定的な〝違い〟を押さえる！！！

これが、「3段メソッド」第3弾、「比較法」の基本方針です。

せっかく二択にまで絞ったのに、「早く正解を決めなきゃ！」「早くどっちかを消さなきゃ！」という焦りから、「良さげなほう」とか「キモいほう」という謎の薄～い判断に逃げがちです。**頭を「比較法」に切りかえ、最後まで〝技術〟で正解を勝ち取りましょう**！

「比較法」使用マニュアル

①「2つの選択肢」に絞る

↓「ズバリ法」「消去法」を使って……それでも2つの選択肢で決めきれなかったら、スパッと「比較法」に切りかえます。両選択肢は「**どっちがイイか？**」「**どっちがダメか？**」ではなく、「どう違うのか？」という視点で、両者を見比べるのです。

②「決定的な違い」を見極める

↓細かい部分にこだわり過ぎると、本質を見失います。**全体を大きく見比べ**、両選択肢の「決定的な違い」、すなわち「対照的なポイント」を見極めましょう。また、イマイチなポイントにはしっかり「△」を付けてください。

③必ず本文で「答え合わせ」

↓両選択肢の「違い」がわかったら、最後に必ず「本文」と照らし合わせてください。本文が〝正解〟を、優しく指し示してくれるはずです。「違い」がわかっても、「頭の中」だけで処理したら台無しなので注意してください。

ミッション14 次のそれぞれ二つの選択肢の「違い」を説明せよ。

制限時間 3分

問1 傍線部「ことばの世界と身体の生きる世界の二重化」とあるが、その説明として最も適切なものを、次の②・④のうちから一つ選べ。（①③⑤は省略）

（浜田寿美男『「私」とは何か』による）

難易度 ★☆☆☆

② ことばがことばだけで独立した世界を生成し、私たちの身体が実際に生きている現在とはまた別に、私たちがその世界をありありと感じとることができること。

④ ことばによって喚び起こされる想像の世界と、私たちの身体の世界が現実に向かい合っている現在の場面とが、一致して重なり合うように感じられること。

問2 傍線部「とりわけ絹代さんを惹きつけたのは、教室ぜんたいに染みいりはじめた独特の匂いだった」とあるが、「絹代さん」が匂いに惹きつけられたのはなぜか。その理由として最も適当なものを、次の②・⑤のうちから一つ選べ。（①③④は省略）

（堀江敏幸「送り火」による）

難易度 ★★★☆

② 自分の名前と結びついたグロテスクな姿態の蚕にまつわる記憶が、墨の匂いによって、家族とつながるなつかしい思い出に変化したから。

⑤ 墨の匂いが死んだ生き物も連想させ、蚕を飼っていた忌まわしい記憶を呼び起こしたが、そのときの生活をなつかしく思い出したから。

「ⓐことばの世界」と「ⓑ身体の生きる世界」の対比構造がポイント。

②　ⓐことばの世界（ことばだけで独立した世界）
　　ⓑ身体の生きる世界（私たちの身体が実際に生きている現在）
　　⬇別々に存在している！

④　ⓐことばの世界（ことばによって喚（よ）び起こされる想像の世界）
　　ⓑ身体の生きる世界（私たちの身体の世界が現実に向かい合っている現在の場面）
　　⬇一致して重なり合っている！

ⓐとⓑが、②**「別々」なのか**、④**「一致して重なっている」のか**、という違いでした。

ちなみに本文では、「ことばは現実の場面を離れて、**それだけで一つの世界を立ち上げる**……そこにことばの世界と身体の生きる世界の二重化をはっきりと見ることができる。」と書かれており、ⓐとⓑを別々に扱う、②が正解だとわかりました。

今回の選択肢は、⊕と⊖の価値判断がポイント。

②　ⓐイヤな記憶⊖（自分の名前……蚕にまつわる記憶）
←ⓑ家族とつながるなつかしい思い出⊕に変化した
＝⊖の記憶が、⊕の思い出に変化した！

⑤　ⓐイヤな記憶⊖（蚕を飼っていた忌まわしい記憶）
←ⓑそのときの生活⊖をなつかしく思い出した
＝⊖の記憶を、⊖のまま思い出した！

わかったかな？　②は「⊖⬇⊕」で、⑤は「⊖⬇⊖」、という違いでした。ちなみに本文では、「それなのに、墨の匂いを嗅いだとたん、かつてのおどろおどろしい記憶⊖がなつかしさをともなう思い出⊕にすりかわったのである。」とありまして、②が正解でした。「すりかわった」が、②の「**変化した**」とバッチリ対応しています。

今回、あえて本文を見なかったことにより、**選択肢だけにMAX集中**できたかな？　この感覚を忘れないようにね。それでは、2問連続で実践トレーニングです！

寝台自動車がやって来るのが九時の約束で、それまでにまだ少々間があった。そいつがここへ来て停(とま)る、そしておやじを運び出す、……その瞬間がおやじと僕の三十何年間の家庭生活の終(おわ)りになるのだ。人気のない路上に立って海のほうから吹いてくる風にあたりながら、しきりにそのことを思った。すると僕は心のどこかで、とりかえしのつかぬ事態にうかうかと手を貸してしまったような、狼狽(ろうばい)じみた気持に襲われた。おやじが病院へ行くことをあんなに拒んだのも、おふくろが畳の上で死なせてやりたいと言いつづけたのも、つまりは永年見慣れたこの海辺の景色とおさらばすることを言ったのだ。こんな簡単なことだったのだ。それならばなぜ家に置いといてやれなかったのだろう。 5

（阿部昭「司令の休暇」による）

問 傍線部「狼狽じみた気持に襲われた」とあるが、なぜそのような気持ちに襲われたのか。その説明として最も適当なものを、次の①・④のうちから一つ選べ。（②③⑤省略） 難易度★★☆☆

① 永年見慣れた海辺の景色から離れて入院することを嫌がった父母の気持ちを無視し、強引に父を入院させることに、取り返しのつかない罪の意識を覚えたから。

④ 自宅で療養したいと望んでいた父母の願いの意味が、今、やっと分かり、父を家に留めることもできたのに、こうして入院させる自分の迂闊(うかつ)さに気づいたから。

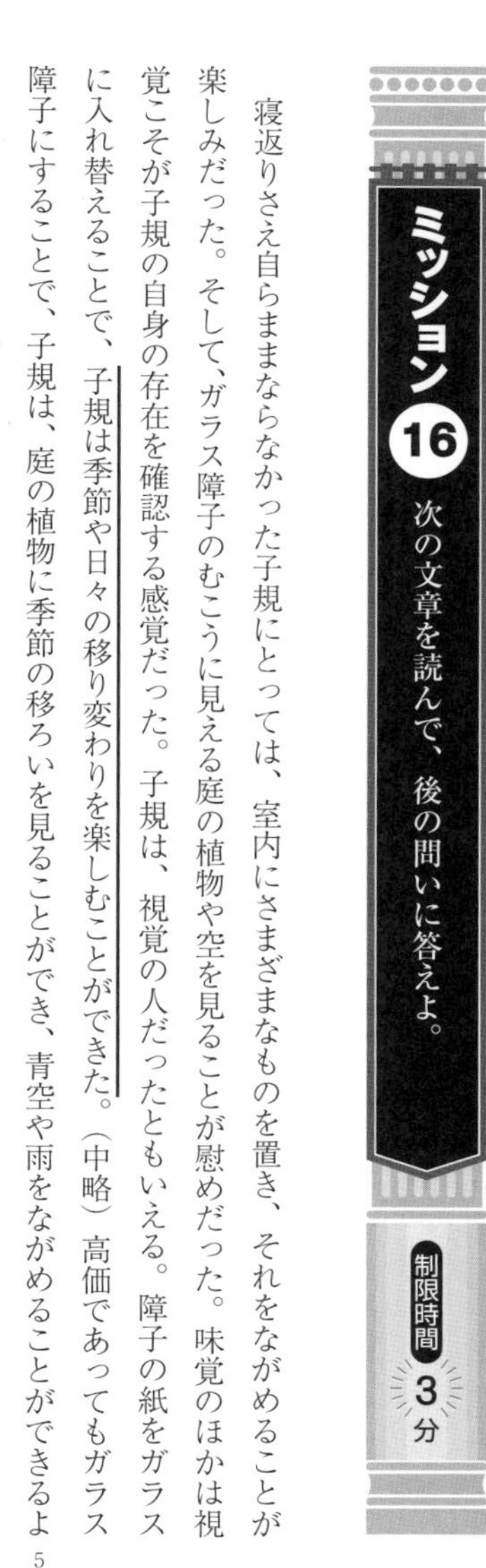

寝返りさえ自らままならなかった子規にとっては、室内にさまざまなものを置き、それをながめることが楽しみだった。そして、ガラス障子のむこうに見える庭の植物や空を見ることが慰めだった。味覚のほかは視覚こそが子規の自身の存在を確認する感覚だった。子規は、視覚の人だったともいえる。障子の紙をガラスに入れ替えることで、<u>子規は季節や日々の移り変わりを楽しむことができた。</u>（中略）高価であってもガラス障子にすることで、子規は、庭の植物に季節の移ろいを見ることができ、青空や雨をながめることができるようになった。ほとんど寝たきりで身体を動かすことができなくなり、絶望的な気分の中で自殺することも頭によぎっていた子規。彼の書斎（病室）は、ガラス障子によって「見ることのできる装置（室内）」あるいは「見るための装置（室内）」へと変容したのである。

5

（柏木博（かしわぎひろし）『視覚の生命力――イメージの復権』による）

問 傍線部「子規は季節や日々の移り変わりを楽しむことができた」とあるが、それはどういうことか。その説明として最も適当なものを、次の②・③のうちから一つ選べ。（①④⑤は省略） 難易度★★★★☆

② 病気で塞ぎ込み生きる希望を失いかけていた子規にとって、ガラス障子から確認できる外界の出来事が自己の救済につながっていったということ。

③ 病気で寝返りも満足に打てなかった子規にとって、ガラス障子を通して多様な景色を見ることが生を実感する契機となっていたということ。

ズバリ法 なぜ「狼狽じみた気持」に襲われたのか？

ℓ2 「**おやじと僕の三十何年間の家庭生活の終りになるのだ**……とりかえしのつかぬ事態に**うかうかと手を貸してしまった**ような、狼狽じみた気持に襲われた」

ℓ6 「（父母が入院を拒んだのは）この**海辺の景色とおさらばすることを言ったのだ**。こんな簡単なことだったのだ。それならばなぜ家に置いといてやれなかったのだろう。」

比較法 ①と④の「違い」は……前半と後半で2ポイントありました！

① 「**父母の気持ちを無視し**」＝事情はわかっていたけど、あえて知らんぷりしていた

④ 「**父母の願いの意味が、今、やっと分かり**」＝事情がマジでわかっていなかった

↓「こんな簡単なことだったのだ」と、ふいに気付いたのだから、④の勝ち！

① 「**取り返しのつかない罪の意識を覚えた**」＝ものすご～く強い㊀の意識

④ 「**自分の迂闊さに気づいた**」＝①に比べると、ちょっと軽い㊀の意識

↓「うかうか」と「狼狽じみた気持」であれば、④ぐらいが丁度いいよね！

「子規は……楽しむことができた」とあるが、それはどういうことか?

ズバリ法

ℓ2「ガラス障子のむこうに見える**庭の植物や空を見ること**が慰めだった。」

「味覚のほかは**視覚**こそが子規の自身の存在を確認する感覚だった。」

子規は季節や日々の移り変わりを楽しむことができた。

比較法 ②と③はほとんどソックリだけど……両者の「違い」を見極められるか!?

②「**ガラス障子から確認できる外界の出来事が**」＝③に比べると、焦点がボケる

③「**ガラス障子を通して多様な景色を見ることが**」＝「視覚」だけに絞っている

→ガラス障子から見える植物や空は、「出来事」ではないよね。③が良いかも。

②「**自己の救済につながっていった**」＝マイナスの状態→ゼロの状態

③「**生を実感する契機となっていた**」＝ゼロ（マイナス）の状態→プラスの状態

→「慰め」「自殺……」だけで考えると②に近い気もしますが、「**子規の自身の存在を確認する感覚**」を踏まえたら、限定的と言わざるを得ません。③の勝利！

「比較3原則」で選択肢問題を解決

《1》「ノイズ」を作らない

「早く決めなきゃ～（消さなきゃ～）」って焦ってくると、急に直感で選んでみたり（＝ズバリごっこ）、闇雲に消してみたり（＝消去ごっこ）、とにかく碌なことがありません。また、中途半端に「ズバリの要素」が頭に残っていると、片一方の選択肢を贔屓目に見てしまいがちです。「比較法」使用の際は、**頭の中の情報や雑念（＝ノイズ）を一旦クリアにし**、**選択肢の「違い」にだけ集中しましょう。**「**頭の切りかえ**」が、「比較法」第一の秘訣です。

《2》「細部」にこだわらない

「**カバ**」**とはどんな生き物か？**　答えは「哺乳綱偶蹄目（鯨偶蹄目）カバ科カバ属に分類される偶蹄類」…らしいのですが、例えば隣に「ブタ」がいたら、「**大きい方**」と答えればいいのです。隣に「ゾウ」がいたら、「**小さい方**」。隣に「サイ」がいたら「**ツノが生えていない方**」。隣に「トトロ」がいたら……え～と、隣のとなりのトトロのとなりの……。

とにかく「比較法」では、「隣と比べてどうか?」を答えればいいのです。簡単でしょ?

飛行機と新幹線の違いは……材質とか動力とか窓の枚数とか、細かい違いは色々あるでしょうけど、決定的な違いとなれば、「飛ぶ/飛ばない」で決まりです。飛行機とヘリコプターの決定的な違いは、「翼/プロペラ」。**全体を交互に「パッパと3往復」**するイメージで、両選択肢の「決定的な違い（対照的なポイント）」をシンプルに見極めましょう!

《3》「苦手意識」を持ちこまない

「寝技」が得意な柔道選手は、「最終的に『寝技』があるから大丈夫」と、自信を持って試合に臨めます。そして、うまく「寝技」に持ち込むゲームプランを立てるでしょう。

「比較法」に苦手意識を持っている人は、「できれば比較法を使わずに乗り切りたい〜」という逃げ腰モードになりがちですが……そんな姿勢では絶対に9割なんてとれません!

「比較法」を、ぜひとも自分の〝必殺技〟にまで引き上げてください! ここに自信が持てれば、「ズバリ法」「消去法」の段階から「**フフフ……あえて『比較法』に流し込み、完全に息の根を止めてやるぜ〜**」なんていう計画性（残虐性?笑）も出てきます。

そのためには……練習あるのみですね。今まで解いた模試や過去問を引っ張り出し、「比較法」目線でじっくり解き直してみてください。現代文が「得意」な人になれるよ!

軍功を競う中世までの武士とは異なり、近世幕藩体制下における士族はすでに統治を維持するための吏僚（＝役人・官吏）であって、中国の士大夫階級と類似したポジションにありました。その意味では、士人意識には同化しやすいところがあります。一方、中国の士大夫があくまで文によって立つことでアイデンティティを確保していたのに対し、武士は武から外れることは許されません。抜かなくても刀は要るのが太平の武士です。文と武、それは越えがたい対立のように見えます。

しかしそれも、武を文に対立するものとしてでなく、忠の現れと見なしていくことで、平時における自己確認も容易になります。刀は、武勇でなく忠義の象徴となるのです。これは、武への価値づけの転換であると同時に、そうした武に支えられてこその文であるという意識が生まれる契機にもなります。

やや誇張して言えば、近世後期の武士にとっての文武両道なるものは、行政能力が文、忠義の心が武ということなのです。武藝の鍛錬も、総じて精神修養に眼目があります。（中略）

そして寛政（かんせい）以降の教化政策によって、学問は士族が身を立てるために必須の要件となりました。政治との通路は武藝ではなく学問によって開かれたのです。もちろん「学問吟味」という名で始まった試験は、中国の科挙制度のような大規模かつ組織的な登用試験とは明らかに異なっていますし、正直に言えば、ままごとのようなものかもしれません。けれども、「学問吟味」や「素読吟味」では褒美（ほうび）が下され、それは幕吏（＝江戸時代の役人）として任用されるさいの履歴に記することができました。武勲（ぶくん）ならぬ文勲です。そう考えれ

ば、むしろあからさまな官吏登用試験でないほうが、武士たちの感覚にはよく適合したとも言えるのです。

（齋藤希史『漢文脈と近代日本　もう一つのことばの世界』による）

問　傍線部「刀は、武勇でなく忠義の象徴となる」とあるが、それによって近世後期の武士はどういうことが可能になったのか。その説明として最も適当なものを、次の①～④のうちから一つ選べ。（⑤省略）

難易度★★★★★

① 近世後期の武士は、刀が持つ武芸の力を忠義の精神の現れと価値づけることで、理想とする中国士大夫階級の単なる模倣ではない、日本独自の文と武に関する理念を打ち出すことができるようになった。

② 近世後期の武士は、単なる武芸の道具であった刀を、漢文学習によって得られた吏僚としての資格と、武士に必須な忠義心とを象徴するものと見なすことで、学問への励みにすることができるようになった。

③ 近世後期の武士は、刀を持つことが本来意味していた忠義の精神の中に、武芸を支える胆力と、漢文学習によって獲得した知力とを加えることで、吏僚としての武士の新たな価値を発見できるようになった。

④ 近世後期の武士は、武芸の典型としての刀を忠義の精神の現れと見なし、その精神を吏僚として要求される行政能力の土台と位置づけることで、学問につとめる自らの生き方を正当化できるようになった。

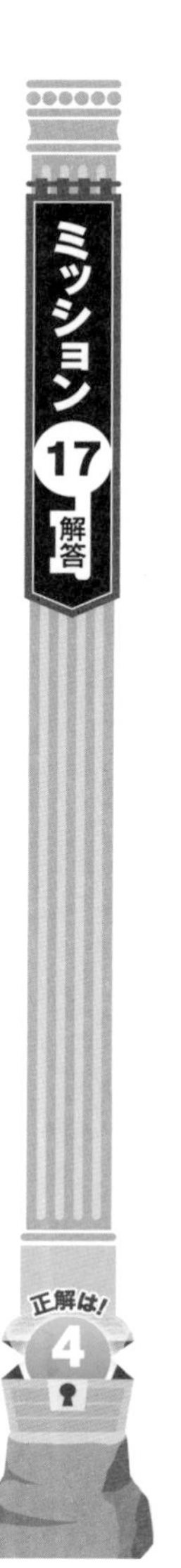

ズバリ法

「武」が精神修養に転換した結果、「文」の存在意義が高まった、という内容。

刀は、武勇でなく忠義の象徴となる

ⓐ武への価値づけの転換！〔**武**〕＝**忠義の心**

ⓑ武に支えられてこその文であるという意識！〔**文**〕＝**行政能力**

→ ＝**文武両道**

⬇寛政（かんせい）以降、**学問**は士族が身を立てるために必須の要件となった。

消去法

①、③を選んだ人は、まだちょっと、「消去法」の修業が足りませんね！

①は「**理想とする中国士大夫階級**」が、タンコブで×。中国士大夫階級が理想だとは書かれていません。また、それが「**日本独自の文と武に関する理念**」であることが、ここでの主張ではありません。

③は「**本来意味していた忠義の精神**」が×。忠義の心は、後世に生まれたものです。

比較法

②「**単なる武芸の道具**であった刀」

↓刀を、すごくツマラナイ物㊀として扱っていますよ。

④「刀を**忠義の精神の現れ**と見なし」

↓傍線部「忠義の象徴」と、うまく対応していますね。

②「**刀**＝×吏僚としての資格＋◎忠義心の象徴」↓「◎学問への励み」

↓「刀」が「**吏僚としての資格**」を示す、という内容がタンコブとして浮かびあがります。警察手帳じゃあるまいし（笑）。

④「**刀**＝◎忠義の精神」↓「◎行政能力の土台」↓「◎学問に……正当化」

↓「**行政能力の土台**」は、「**武**（＝**忠義の心**）**に支えられてこその文**（＝**行政能力**）である」と合致します。ラストは要するに「堂々と学問に励めるようになった」ということだから、「**学問は士族が身を立てるために必須の要件**」と対応し、これが正解！

選択肢の「違い」を浮きぼりにすることで、正解への道が啓示される。「**比較法**」**は、まさに究極の選択肢攻略法**です。しっかり使いこんで自分の武器にしてください！

COLUMN

神業裏技アカデミー

選択肢ンリ学①

後回しOK!

「3段メソッド」をアップデートせよ!

0 「設問解析」 「ハイパー設問解析」で電光石火!

3段メソッドの下準備である「設問解析」を、**速攻の武器として積極的に活用**していきましょう。この設問では**「何を問われているのか?」「何を探すのか?」**、さらには「どんな答えになりそうか?」「どこに書いてありそうか?」……設問文にギューッと集中すると、出題意図がスルスルほどけ、「ズバリ法」の作業効率が一気に上がります!

1 「ズバリ法」 「ズバリの要素」はコンパクトに!

「ズバリの要素」は、まさに〝要素〟**として、なるべく小さく押さえる**のが秘訣です。

・**「内容」として把握する** ↓ 選択肢も**「内容」として確認しなければならない。**

・**「要素」として押さえる** ↓ 選択肢を「要素」のアリ・ナシだけで処理できる。

もちろん「内容」理解は大切です。でも《選択肢問題を解くこと》に特化して考えれば、「要素」のアリ・ナシで処理した方が**絶対に速いし**、ブレにくいから**正解率も上がります。**

2 「消去法」▼▼▼ 消去法の基本は「タンコブ狩り」！

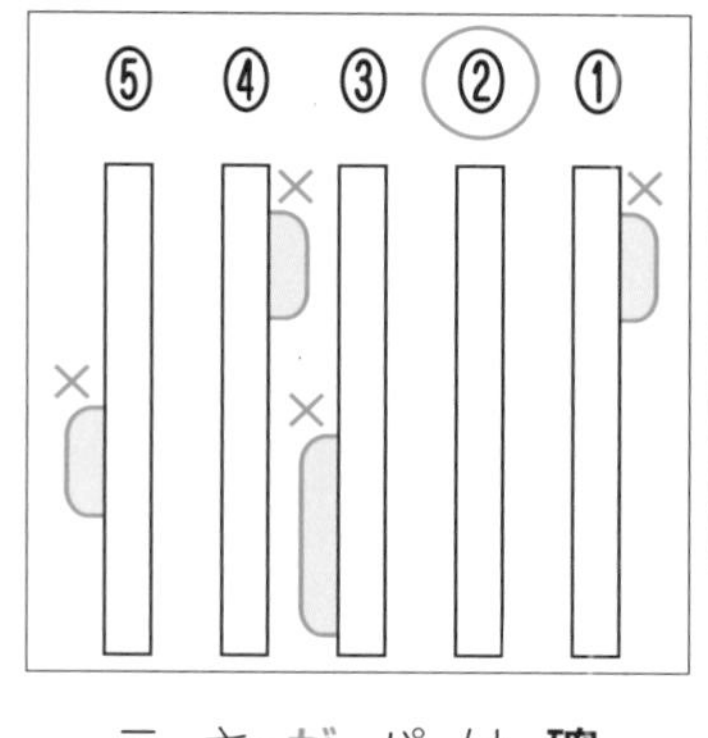

共テは解答を公表しますから、後で苦情が来ないように、確実に×の選択肢を作らなければなりません。そのためには、「内容の一部を減らす」より「**余分なウソを付け足す**」パターンの方が安全確実です。これが、共テ＝「タンコブ型」が多くなるという仕組みです。「ズバリの要素」というものさしを基準に、「**余分にはみ出ていたら×！**」という感じでテンポよく処理していきましょう。

3 「比較法」▼▼▼ 拾い損ねた「ズバリの要素」を再回収！

「比較法」で浮き彫りになる**両選択肢の「違い」**の正体は……「ズバリ法」の段階で拾い損ねていた「ズバリの要素」なのです。つまり、「ズバリの要素」を見落としてしまっても、一周回って「比較法」で再回収できるというメカニズムなのです！　すごいでしょ～？

「3段メソッド」は、すべて連動しています。**ラストの「比較法」に自信が持てれば、メソッド全体はもっと活性化していきます。**しっかり練習し、完璧にマスターしてください！

「△だらけ」になることを恐れるな

選択肢に「△」を付けるのは、「**◎か×か決められない**～」という**消極的な保留**ではなく、「**現段階で◎とは言えないが、×とも言い切れない**」という、**積極的な判断**です！

「△」は、9割を超えるために欠かせない重要なスキルの1つです。なぜなら、正解の選択肢が常に「キレイな大正解◎」とは限らないからです。出題者は、本文の内容を、×にならない程度に言い換えたり捻（ひね）ったりしてきます。その結果、「**◎とも言えないが、×とも言い切れない**」＝「△だけど、正解◎」という、憎たらしい選択肢が誕生するわけです。つまり、このタイプの難問は「△」という中間的判断を経由しないと攻略できないわけです。

でもね、ズバリ法が上手になれば、「◎」の決定力が上がります。消去法が上手になれば、「×」の判断力が上がります。比較法が上手になれば、「△」の処理能力が上がります。とにかく、「**△だらけになることを恐れずに、どんどん使ってみてください**！

また、「△」を積極的な保留として利用すれば、スピードアップにも有効です。「イマイチ微妙」なポイントが、最終的に「◎」なのか？「×」なのか？　それは「たった今」決める必要はありません。「**どこが△なのか？**」**をきちんと指摘したら、放置して次へ進んじゃいましょう**！　だってわれわれには、最終兵器「比較法」があるんですから。（ニヤリ）

「×だらけ」になることも恐れるな

ある国のお姫様の結婚相手の条件が「**身長2m以上の男**」だったとしましょう。

①「191センチの男」——×。②「201センチの女」——×。③「199センチの男」——×。④「194センチの男」——×。……え？　まさかの、あと一人？　⑤「196センチのおと…『もう後がないからイイわ！　四捨五入で！　そいつで！』

①～④まで「×」が続くと、⑤を甘めに許しちゃう心理が働くから要注意です。自分が押さえた「ズバリの要素」を信じ、最後まで胸を張って「×」をつけましょう。

……それでは、全部「×」になってしまった場合はどう対処すればいいのか？

「ズバリの要素」の縛りをゆるめて、「195センチ以上までセーフ」ってことにする？

……ハイ、コレをやってはいけません。「ズバリの要素」の基準を勝手に変更すると、**要素の「質」自体が変化してしまう可能性がある**からです。

選択肢が全部×になってしまったら、「絶対×」の選択肢を3つ消去し、残りの2つで敗者復活戦（＝比較法）に持ち込みます！　こういうとき、選択肢×パターン「タンコブ型」「断定型」「限定型」あたりは大変有効ですから、根拠と自信を持って消去しましょう。

9時間目
10時間目

「文学的文章」のひみつ！（前編）

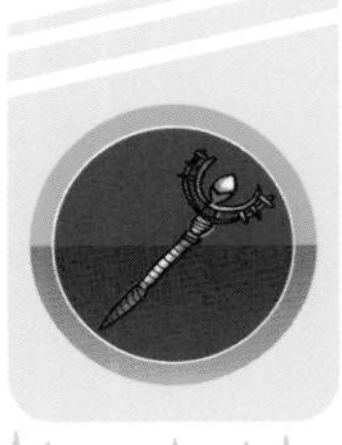

Ex UP 「共テ小説」が得意な人＝「冷酷人間」?!

「オレは人の気持ちが全然わからない冷酷人間だから、文学的文章とか絶対ムリ～」

……いや、まてまて。むしろ逆かもしれないよ？　もしもコレが、「他人の気持ちを理解する能力」や「思いやりの深さ」を測定するテストだったら……もはや「共テ道徳」だもんな。

共テ現代文の本質は、**本文を正確に読み**、**設問に正しく答えること**。つまり**情報処理**です。

だから、感受性が豊かで思いやりが深い人の方が、解答がブレやすいのかもしれません。

「あ～～、おばあちゃん死んじゃう～～。悲しい～～。④～～。」

「でた～～この女、知り合いにそっくり。嫌いだわ～。完全に②だわ～。」

……ハイ、これをやったらアウト～。おばあちゃんが死んでも、嫌いな女が調子こいても、まったく感情移入せず、**ただの〝文字情報〟としてクールに処理する「冷たい人間」の方が**、**じつは共テ「文学的文章」では強い**のです！

本文に書いてある、文字情報（心情描写）だけで、クールに解く！！！

「文学的文章」では、《**人間の心情**》という、**なんだかフワフワしたカタチのないもの**を選択肢問題として扱うわけですから、当然、本文にちゃんと書いてあることしか、「答え」にすることはできません！　すなわち「文学的文章」の攻略ポイントは……

> 《1》「**設問解析**」で、何を探すのかを確認！（このときの「太郎の思い」は？）
> 《2》「心情描写（心情語・様子・セリフ）」**を回収し、3段メソッドで処理！**

つまり、「**論理的文章**」**と同じテンションで、同じメソッドで解けばいいのです**！

なお、「**セリフ**」**は、基本的に**「**線引き**」**不要**です。引き始めるとキリがないし、「本当の気持ち」を口にするとは限らないからね。もちろん、設問に絡んできたときは重要な手がかりです。が、変に感情移入せず、あくまで「文字情報」としてクールに処理しましょう！

それでは、ミッション⑱⑲……近代文学の二大文豪に挑戦です！！

田口の叔母は、高木さんですといって丁寧にその男を僕に紹介した。彼は見るからに肉の緊まった血色のいい青年であった。（中略）二人の容貌が既に意地のよくない対照を与えた。しかし様子とか応対ぶりとかになると僕は更に甚だしい相違を自覚しない訳にいかなかった。僕の前にいるものは、母とか叔母とか従妹とか、皆親しみの深い血族ばかりであるのに、それらに取り巻かれている僕が、この高木に比べると、かえってどこからか客にでも来たように見えたくらい、彼は自由に遠慮なく、しかもある程度の品格を落とす危険なしに己を取り扱う術を心得ていたのである。知らない人を怖れる僕にいわせると、この男は生まれるや否や交際場裏に棄てられて、そのまま今日まで同じ所で人となったのだと評したかった。彼は十分と経たないうちに、凡ての会話を僕の手から奪った。そうしてそれを悉く一身に集めてしまった。その代わり僕を除け物にしないための注意を払って、ときどき僕に一句か二句の言葉を与えた。それがまた生憎僕には興味の乗らない話題ばかりなので、僕はみんなを相手にする事も出来ず、高木一人を相手にする訳にもいかなかった。彼は田口の叔母を親しげにお母さんお母さんと呼んだ。千代子に対しては、僕と同じように、千代ちゃんという幼馴染みに用いる名を、自然に命ぜられたかのごとく使った。そうして僕に、先ほどお着きになった時は、ちょうど千代ちゃんと貴方のお噂をしていたところでしたといった。

僕は初めて彼の容貌を見た時から既に羨ましかった。話をするところを聞いて、すぐ及ばないと思った。それだけでもこの場合に僕を不愉快にするには充分だったかもしれない。けれどもだんだん彼を観察している

うちに、彼は自分の得意な点を、劣者の僕に見せつけるような態度で、誇り顔に発揮するのではなかろうかという疑いが起こった。その時僕は急に彼を憎み出した。そうして僕の口を利くべき機会が廻って来てもわざと沈黙を守った。

（夏目漱石『彼岸過迄』による）

問　傍線部「この男は生まれるや否や交際場裏に棄てられて、そのまま今日まで同じ所で人となったのだと評したかった」とあるが、そのように高木を評する「僕」の思いを説明したものとして最も適当なものを、次の①～⑤のうちから一つ選べ。　難易度★★★☆☆

① 初対面の人にも全くものおじせず、家族のように親しげに周囲の人の名を呼ぶので、羨ましく思っている。

② 明るく話し上手で人づきあいに長けているうえ、そつのない態度で会話を支配するので、不快に思っている。

③ 周囲のすべての人に配慮しつつも、その態度はおしつけがましいものでもあるので、うっとうしく思っている。

④ 品格もあり容貌も立派な人物だが、完全無欠な態度によって「僕」の居場所を脅かすので、憎らしく思っている。

⑤ 洋行帰りという経歴の持ち主であり、自分をよく見せる作為的な振る舞いをするので、面白くなく思っている。

ミッション18 解答

正解は！ 2

傍線部の前後に「心情描写（＝ズバリの要素）」がたくさんありましたね！ ラッキ〜〜、と言いたいところだけど、これはこれでちょっと厄介なパターンです。「ズバリの要素」が多いときは、**大事な要素を取りこぼさないよう、しっかり管理しなければなりません。**

ズバリ法

［高木に対する「僕」の思い］

ℓ5 **自由に遠慮なく**、しかも**ある程度の品格を落とす危険なしに己を取り扱える**この男は生まれるや否や交際場裏（こうさいじょうり）に棄（す）てられて、そのまま……評したかった。

ℓ8 **凡ての会話を僕の手から奪い、それを悉く一身に集めてしまった**

ℓ8 **僕を除け物にしないための注意を払って、ときどき僕に言葉を与えた**

ℓ11 **家族や幼馴染みに用いる呼び名を、自然に命ぜられたかのごとく使った**

↓「**羨ましかった⊕**」「**及ばないと思った**」「不愉快⊖」「憎み出した⊖」

「交際場裏」とは、上流階級の集まる社交の場。社交界。「僕」から見た高木は、**陽気にグ**

そんな高木のことを「僕」は……羨ましすぎて、逆に**不愉快**㊀に思っています。

イグイいくけど、**上品に気配りもできる**、まさに「社交の天才」「コミュ力お化け」なのです。

消去法

①は結論が「羨ましく思っている㊉」だから×。「僕」は基本的に、高木のことが嫌い㊀なのです。また「**初対面の人にも全くものおじせず、家族のように親しげに周囲の人の名を呼ぶので**（羨ましい）」という**前提が限定で×**。「僕」が高木を羨んでいるのは、「親しげに名を呼ぶから」…だけじゃありませんよね。

②は「明るく話し上手で人づきあいに長けている」「そつのない態度で会話を支配する」「不快㊀」と、要素のバランスが良いので、**これが正解◎**！

③は「おしつけがましい㊀」**がタンコブで×**。高木にそういう手抜かりはありません。

④は「『僕』の居場所を脅かす㊀」**がタンコブで×**。高木は、僕を除け物にしないための注意を払って、ときどき僕に一句か二句の言葉を与えてくれます。

⑤は「自分をよく見せる作為的な振る舞いをする㊀」**がタンコブで×**。これは傍線部直前の「ある程度の品格を落とす危険なしに……心得ていた」と合いません。

ミッション19

次の文章を読んで、後の問いに答えよ。

制限時間 4分

※「宇平」は、叔父「九郎右衛門」、家来「文吉」とともに、殺された父の敵討ちの旅へ出た。しかし、手がかりもつかめぬまま資金は乏しくなり、さらに伝染病に感染するなど旅は困難を極めていた。

九郎右衛門の恢復したのを、文吉は喜んだが、ここに今一つの心配が出来た。それは不断から機嫌の変り易い宇平が、病後に際立って精神の変調を呈して来たことである。

宇平は常はおとなしい性である。それにどこか世馴れぬぼんやりした所があるので、九郎右衛門は若殿と綽名を附けていた。しかしこの若者は柔い草葉の風に靡くように、何事にも強く感動する。そんな時には常蒼い顔に紅が潮して来て、別人のように能弁になる。それが過ぎると反動が来て、沈鬱になって頭を低れ手を拱いて黙っている。

宇平がこの性質には、叔父も文吉も慣れていたが、今の様子はそれとも変って来ているのである。朝夕平穏な時がなくなって、始終興奮している。苛々したような起居振舞をする。（中略）

こう云う状態が二三日続いた時、文吉は九郎右衛門に言った。「若檀那の御様子はどうも変じゃございませんか」文吉は宇平の事を、いつか若檀那と云うことになっていた。

九郎右衛門は気にも掛けぬらしく笑って云った。「若殿か。あの御機嫌の悪いのは、旨い物でも食わせると直るのだ」

九郎右衛門のこう云ったのも無理はない。三人は日ごとに顔を見合っていて気が附かぬが、困窮と病痾（びょうあ）と羇旅（きりょ）との三つの苦艱（くげん）を嘗（な）め尽（つく）して、どれもどれも江戸を立った日の俤（おもかげ）はなくなっているのである。

（森鷗外「護持院原の敵討」による）

問 傍線部「あの御機嫌の悪いのは、旨い物でも食わせると直るのだ」とあるが、九郎右衛門は宇平の様子をどのように見ているのか。その説明として最も適当なものを、次の①～⑤のうちから一つ選べ。 難易度★★★★☆

① 宇平をまだまだ未熟だと思っている九郎右衛門は、宇平の心の変化を、旅の苦難が引き起こした肉体的な衰弱からくるいらだちぐらいに受けとっている。

② 宇平が何不自由なく育ったことをよく知る九郎右衛門は、宇平の変化は食事の貧しさによると見ており、なんとか栄養のあるものを食べさせたいと考えている。

③ 苦難をともにする文吉をいたわる九郎右衛門は、文吉を心配させまいとして冗談を言ったまでであり、内心では宇平の変調と栄養状態は関係ないと思っている。

④ 物事を気にせずおおざっぱな性格の九郎右衛門は、宇平のきまじめさが理解できず、宇平は短気を起こしているだけで、忍耐力が不足しているととらえている。

⑤ 思慮深い性格の九郎右衛門は、敵討ちに支障がないよう、冗談に紛らわしているが、心の内では、度重なる苦難に宇平は耐えられなくなってきたと見ている。

ズバリ法

九郎右衛門の心情描写を集めましょう。

九郎右衛門 ⬇ ℓ11「**気にも掛けぬらしく**⊕」「**笑って**⊕」云（い）った。

ℓ11「若殿か。あの御機嫌の悪いのは、旨（うま）い物でも食わせると直るのだ」

消去法

ズバリの要素はたったのコレだけ！　タンコブをサクサク消していきましょう。

①の「(宇平を) **まだまだ未熟だと思っている**」を、**なんとか△でキープ**できたかどうかがポイント。直接的には書かれていないけど、「旨い物でも食わせると直る」なんてセリフは、宇平を〝子供扱い〟している証拠だと解釈できなくもないよねぇ？

②の「**宇平が何不自由なく育った**」は、**断定&タンコブで×**。宇平が過保護のおぼっちゃまだったという情報は、さすがに書かれていなかったよね。そしてラストの「(栄養のあるものを) **食べさせたい**」が**タンコブで×**。①と比べて、情報が余分です。

③は「**宇平の変調と栄養状態は関係ない**」が**断定で×**！　傍線部の「旨い物でも食わせる

と直る」と矛盾します。本文の文字情報を、そのまま素直に解釈しましょう。

④の「**宇平のきまじめさ**」は、本文にナシで×。さらに、もし「忍耐力が不足している」のだとすれば……旨い物を食わせるぐらいでは直りません。

⑤が、①の対抗馬かな？「**敵討ちに支障がないよう、冗談に紛らわしている**」「**度重なる苦難に宇平は耐えられなくなってきた**」あたりを△でキープして、いざ決勝戦！

比較法

①「**肉体的な衰弱からくるいらだちぐらいに受けとっている**」

＝事態を、そんなに重くは受け止めていな～い。⊕（旨い物を食えば直るでしょ？）

⑤「**度重なる苦難に宇平は耐えられなくなってきた**」

＝事態を、けっこう深刻に受け止めている！⊖（旨い物を食ったって無理っぽい！）

⬇「**気にも掛けぬらしく笑って云った**⊕」のだから、①の勝ち！

なお、①の「**宇平をまだまだ未熟だと思っている**」ですが、「**若殿**」という綽名（あだな）が、宇平の「**世馴（よな）れぬぼんやりした所**」から付けられたものだという経緯から、ここはバッチリOKでした！　それに対し、⑤の「**敵討ちに支障がないよう**（冗談で紛らわす）」って前提は、やはりタンコブで×ですね。九郎右衛門は、〝気にも掛けていない〟のですから。

感情描写を、文字通り〝素直に〟解釈せよ

ニコニコ⊕ ― 笑う⊕ ― 楽しい⊕ 【素直な組み合わせ◎】

メソメソ⊖ ― 泣く⊖ ― 悲しい⊖ 【素直な組み合わせ◎】

笑っていたら「楽しい⊕」! 泣いていたら「悲しい⊖」! 文学的文章では、本文の内容をいかに文字通り〝素直に〟解釈できるかが、勝負のポイントとなります。例えば、サイフを落としてメソメソ泣いていたら、当然「悲しい⊖」と解釈できますよね。でも、何も書いてなかったら……「**とくに、何とも思っていない**Ⓝ」と解釈するのです! 極端な話、ニヤニヤ笑っていようものなら……「楽しい⊕」なんて解釈しなければならないのです…!

解釈を安定させるため、「線引き」は有効な手段となります。文学的文章では「**登場人物の考え・心情描写**」、つまり「思ったこと」「感じたこと」「考えたこと」などに線を引きます。

そして、主観を入れず、押さえた文字情報だけで冷静に処理する! これが、文学的文章攻略の大切な心構えです。つまり「深読み」をしないことが、大事なコツの1つです。

Ex UP

問1「語句知識問題」攻略！

《1》「普通の傍線部問題」として対処する

傍線部の前後（1行）から「**手がかり**（**ズバリの要素**）」を集め、選択肢を絞りましょう。要するに、まずは普通に「ズバリ法」から始めるのです。ただし、**文脈だけで正解を確定してはいけません。**［文脈3／知識7］――「文脈」には約30％の手がかりがありますが、70％は「知識」で解く――こんなバランスで挑むと勝率が上がります！

《2》「知っている意味」を優先して選ぶ

「本文中における意味を選べ」と問われますが、本質はあくまでも「知識問題」です。その語句は、普段はどんな場面で、どんな意味として使われているか思い出しましょう。

なお正解の選択肢は、その語句の「**辞書的定義**」――辞書に載っている最も一般的な意味――を基準に作られます。もちろん本番で辞書は使えませんけど、「…辞書なら、こうは書かれていないだろう」といった視点で推理するのは、かなり有効です。例えば、**妙に詩的な表現**とか、なんだか**ヘンチクリンな日本語**は、だいたい×になります。

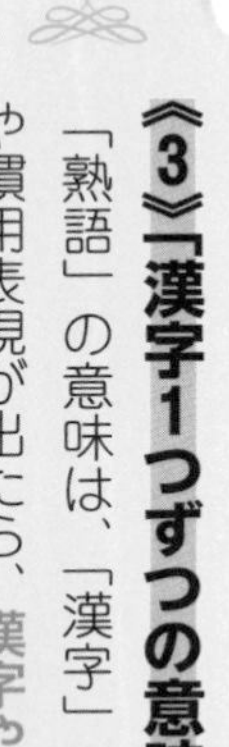

《3》「漢字1つずつの意味」から推理する

「熟語」の意味は、「漢字」の組み合わせによって成り立っています。全く知らない言葉や慣用表現が出たら、**漢字や単語レベルにまで分解し、意味を推理**してみましょう。

《4》「現代文重要単語」を暗記する

あとは本番までの努力次第。巻末の「**現代文重要単語150**」をテキパキ暗記してください。一日50コずつ覚えたら、三日で終わるらしいぞ！

《頻出「類義語」セレクション》

①「**世間体**」**シリーズ**　※世間からの評価・外から見える様子
世間体（せけんてい）・体面（たいめん）・体裁（ていさい）・面子（めんつ）・面目（めんぼく）・沽券（こけん）（に関わる）

②「**怪しい**」**シリーズ**　※不思議⊖だ・普通と違って異様だ
怪しい・訝（いぶか）しい・怪訝（けげん）・不審（ふしん）・如何（いかが）わしい・胡散臭（うさんくさ）い

③「**感心だ**」**シリーズ**　※子供や下の立場の者の行動をほめる
感心・健気（けなげ）・殊勝（しゅしょう）・奇特（きとく）・神妙（しんみょう）・いじらしい・しおらしい

ミッション20

傍線部の本文中における意味として適当なものを、それぞれ一つ選べ。

制限時間 3分

問1 主人はいつもの上機嫌で心得顔に二人をむかえ、包みをうけとって奥へ消えたまま出てこない。ついさっき、気むずかしい顔つきの男が呼ばれて奥へ去ったのも、包みにかかわりがあると思われて弟は不安だった。

（野呂邦暢「白桃」による）

難易度 ★★☆☆☆

心得顔

① 何かたくらんでいそうな顔つき
② 扱いなれているという顔つき
③ いかにも善良そうな顔つき
④ 事情を分かっているという顔つき
⑤ 何となく意味ありげな顔つき

問2 その夜、講演会場から旅館へ戻ると、部屋の隅の縁近いところに、妹は予想していたよりは明るい顔で、小ざっぱりした身なりをして坐（すわ）っていた。グレイのスカートを履き、純白の毛糸のセーターを着、髪は流行のショートカットで、実際の年齢は三十四歳なのに、一見すると二十四五歳にしか見えなかった。

（井上靖「姨捨」による）

難易度 ★★☆☆☆

小ざっぱりした

① もの静かで落ち着いた
② さわやかで若々しい
③ 上品で洗練された
④ 清潔で感じがよい
⑤ 地味で飾り気のない

1時間目 2時間目 3時間目 4時間目 5時間目 6時間目 7時間目 8時間目 9時間目 10時間目 最終確認テスト

問3 甘ったれた芝居はやめろ。いまさら孝行息子でもあるまい。わがまま勝手の検束（＝一時警察に留置されたこと）をやらかしてさ。よせやいだ。泣いたらウソだ。涙はウソだ、と心の中で言いながら懐手して部屋をぐるぐる歩きまわっているのだが、いまにも、嗚咽が出そうになるのだ。私は実に閉口した。煙草を吸ったり、鼻をかんだり、さまざま工夫して頑張って、とうとう私は一滴の涙も眼の外にこぼれ落さなかった。

（太宰治『故郷』による）

難易度 ★★★☆☆

閉口した

① 悩み抜いた　② がっかりした
③ 押し黙った　④ 考えあぐねた
⑤ 困りはてた

問4 この時刻、キャフェのなかは満員で、異様な髪をした少女や肋骨のような外套を着て、髭をはやした青年たちが店の中を右往左往している。煙草の煙が濛々とたちこめ色々な国の言葉が耳に飛びこんでくる。どれもこれも自分を芸術家だと信じこんでいる連中ばかりなのだ。私は七年前も今も巴里にたむろする無数のこういう連中を軽蔑し、屑だと考えている。

（遠藤周作「肉親再会」による）

難易度 ★★★☆☆

たむろする

① 芸術家になった気分に浸っている　② 自分の夢を求め群れ集まっている
③ チャンスを求めてうろついている　④ 身勝手な芸術論を言い合っている
⑤ 雑談にふけってすわり込んでいる

問5 積乱雲が輝く季節はとっくに終わって、谷の上の空は層積雲が山脈の向こうから波打ちながらなだれひろがっていた。谷は冷え始め、もう上昇する暖かい空気はない。手製起重装置を苦心して操って予定の仕事を終えると、男は石切場の端の切り立った崖の上に立って、谷の下手の方へと谷の上を押し流れてゆく厚い雲の<u>うごめき</u>を眺めた。

風の複雑な運動によって雲は生まれ動き消えるが、基本的に風すなわち大気を動かす要因はふたつ。暖かい軽い大気は上へ、冷たい重い空気は下へ。そしてもうひとつは地球の自転。体には感ずることのできない地球の自転を目に見せてくれるのが、大気の複雑な流れと雲の動き、そして耳に聞かせてくれるのが風の音だ。 5

（日野啓三「風を讃えよ」による）

難易度 ★★★★★

<u>うごめき</u>

① 絶え間のない重苦しい動き
② あたり一面に広がっていく壮大な動き
③ とまって見えるほど悠々とした動き
④ まわりのものを圧倒する力強い動き
⑤ かすかで複雑な動き

「いつもの『上機嫌⊕』で」とありますから、「心得顔」は⊕**の内容**だと判断できます。そして、「心得顔」＝「**心得」ている**、「**顔**」！ 分解完了。では、選択肢へ。

①の「**たくらむ**」は、「悪事を企てること」ですから、⊖で×。

②の「**扱いなれている**」は、「ボールさばき」「包丁さばき」など、《動き》を表す言葉ですから、「顔つき」と直接つなげるのは、日本語として正しくないので×。

③は単なる⊕で、「心得」のニュアンスがまったく入っていないから×。

④の「**事情を分かっている**」は、「**心得**（**ている**）」とぴったり合致。完璧な正解！

⑤の「**意味ありげな顔つき**」は、知られたくないのであろう秘密を握っているときに出す、含みを持たせたイヤラシイ「ニタニタ顔」でしょ？ 基本的に⊖の顔だから×！

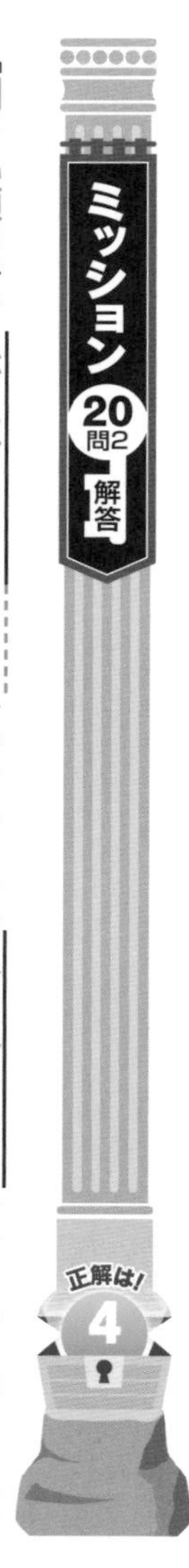

「明るい顔⊕で、小ざっぱりした身なり」ですから、「小ざっぱりした」は⊕**の内容**で、「**身なり**（服装）」**を形容する言葉**だと判断できます。さらに、「小ざっぱりした」＝「**小**（**ちょっ**

と〕」＋「**さっぱりした**」で、分解完了。

①ですが、「身なり（服装）」はそもそも音がしないから、「**もの静か**」は日本語的に×です！

②の「小ざっぱりした」って言葉を辞書で引いても、「**若々しい**」という意味が入っているとは思えませんよね。文脈的にはアリだとしても、辞書的定義から推理して×。

③は、「ちょっとさっぱりした」にしては、ちょっとセレブすぎるので×。

④は、例えば髪を切って「さっぱりした」＝「清潔で感じがよい」。⊕のレベルが**ちょうどいい**でしょ？ コレが正解！

⑤は、「**地味**」が㊀だから×。「今日は地味でイイね〜」なんて言ったら、嫌われますよ！

ミッション20 問3 解答

正解は！ 5

まずは「文脈」から手がかりを集めますよ。泣いちゃダメだけど、嗚咽（おえつ）（泣き声）が出そうになる、その結果「閉口した㊀」と。現状は理解できたかな？ では選択肢へ。

③にした人、ダメ〜！ 「閉口」っていう、漢字だけで考えたでしょ？ 「**文脈3／知識7**」！ つまり「**文脈**」も「**3**」割は意識しなきゃいけないのです。だいたい「**嗚咽が出そう**」で困ってるのに、思わず「押し黙」れたら……お悩み解決じゃないですか（笑）。

②はストーリーとまったく合わないから×。
①④⑤は方向性が似ていますね。こういう場合は選択肢×パターン《大は小を兼ねる！》（➡P91）が有効です。①「**悩み抜いた**（小）」や、④「**考えあぐねた**（小）」を選ぶなら、それらを包みこむ⑤「**困りはてた**（**大**）」**を選びましょう**。意味的に説明すると、①は「悩んでいる状態から抜けだし、**ある結論に達した状態**⊕」だから×。④は「考えが行きづまる状態⊖」です。「嗚咽が出そう」なのは生理現象であり、**考えではないから×**。

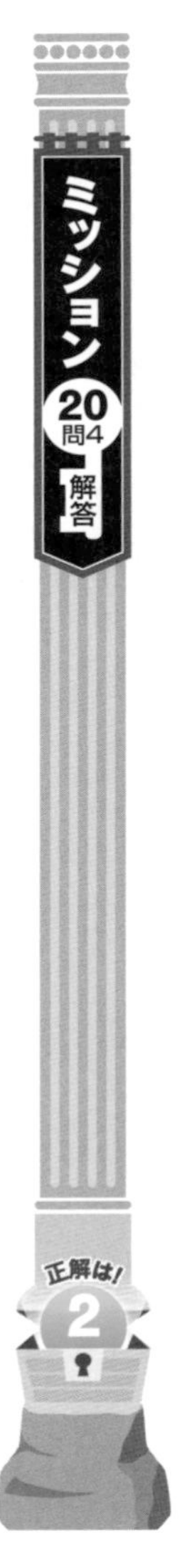

これは見たことのある語句ですよね。「渋谷の街にたむろする若者たち」ってやつです。
①は文脈的にアリですが、知識（たむろする）で考えれば**意味が全く違います**。
②③④⑤は……《大は小を兼ねる！》で処理すれば、**②が一番大きい**ってことがわかるでしょ？②「**群れ集まっている**」なかには、③「**うろついている**」人も、④「**言い合っている**」人も、⑤「**すわり込んでいる**」人も含まれるわけです。⑤を選んだ人は、不良がコンビニの前に集まってしゃがんでいるイメージに引っぱられたね？

レベルMAXの超難問！　**文脈よりも知識（知っている意味）を優先**！　この言葉、どんな場面で使われる？　うごめくものといえば……………「虫」あたりが頭に浮かんだかな？　ちなみに漢字では「蠢き」と書きます（春になって虫がモゾモゾ動く、の意）。

①ですが、「うごき」に比べて「**うごめき**」にはモゾモゾとした「**絶え間のない**」連続性を感じます。「**重苦しい動き**」は微妙だけれど、逆の言葉（「軽やかな」や「素早い」）と対比して考えれば、しっくりくるのでこれが正解◎。

②③④の「**壮大な動き**」「**悠々とした動き**」「**力強い動き**」は、それぞれ「（虫の）**うごめき」と合わないので×**。雲の描写（つまり文脈）に流されてはいけません。

⑤が面白い。「**かすかで／複雑な動き**」って、どんな動きだ？（今ちょっとやってごらん？）知識問題の正解は「**辞書的定義＝正しい日本語**」が基本です。だから冷静に考えて、自分で再現しにくいようなヘンチクリンな日本語は、基本的に×だと考えてください。

何勝何敗でしたか？　名作をセレクトしましたので、よく復習して考え方をマスターしてください！　8時間目は、さらにプレミアムな文学的文章の世界へご案内いたします。

「文学的文章」のひみつ！（後編）

前回、小説攻略の秘訣は「**評論と同じメソッドで、同じテンションで解くこと**」だと教えました。で、今回は「**評論とは違う、小説ならではの攻略パターン**」を2つ紹介します！

Ex UP

【文学的文章攻略パターン①】《きっかけ・パターン》！

感情の《きっかけ》を、ピンポイントで押さえよ！

① 「彼女に振られて」
② 「試合で惨敗して」
③ 「インコが死んで」
④ 「財布を失くして」

⑤ 「親友にポンと肩を叩かれて」

↓
涙がポロリとこぼれ落ちた。

「涙がポロリとこぼれ落ちた」原因は、「①②③④、**色んなことがあったから！**」かもしれません。でも実際は、①②④はどうでもよくて、「③**インコの死**」だけが原因かもしれない。あるいは、ずーっと泣くのをこらえていたけど……親友の「⑤**肩ポン**」がきっかけで、ポロリとこぼれ落ちたのなら……「**親友に肩を叩かれて気が緩み、我慢していた辛い思いが一気に溢れたから**」なんて答えになります。

ドキッとしたり、イラっとしたり、涙がポロリとこぼれたり……人間の心情や行動が変化するときは、多くの場合、何らかの《きっかけ（動機・原因）》が存在します。その「きっかけ」は、**必ず**「**ズバリの要素**」**となるので、きちっと押さえなければなりません！**

傍線部の感情や行動の《きっかけ》を、ピンポイントで押さえよ！

好きな人に声をかけられた＝《きっかけ》→「ドキッとした（＝感情・行動）」
知らない人に舌打ちされた＝《きっかけ》→「イラッとした（＝感情・行動）」

《**きっかけ**》は、傍線部の感情・行動に直結する重要なポイントですから、**傍線部の心理読解には絶対に欠かせません**。「ズバリの要素」として積極的に採用してください。逆に、《きっかけ》が間違っている（入っていない）選択肢は、スパッと消去すればいいのです。

※本文は、娘の「げん」が、年来の信仰の親友である「田沼の奥さま」に向かって自分の陰口を叩いたのではないかと、「母」が疑い問い詰める場面である。なお、「げん」には全く心当たりがない。

母は無言くらべをしているようなげんにたまらなくなる。「どうして何もいわないの？　いえないんじゃない？　……私はね、あなたがまさか陰でそんないやなことといってると信じたくないのよ。だけど、あんたがそんなふうにへんな陰口きかないじゃいられないなら、それもそれでしかたがないと思うの。正直にいって頂戴。田沼さんの奥さまに訴えるくらいなら、なぜ私にじかにいわないの。私あんたにいい加減に扱われていたと思うと、情ないし腹がたってたまらない。どうなのよ、返辞なさいよ。」

母は涙をはらはらとこぼした。げんは母は悪くないと感じた。気の毒な気がした。「母さん、あのおばさまにだまされてるんじゃない？　何て聞かされたのか知らないけど、あのおばさまがへんなんじゃないかしら。」

それはほんとうにげんの思ったままをいったことばだった。が、母はあっけにとられたというようすをし、いうべきことばがないといった表情でげんを見た。「まあ、あんたって人はまあ。……よくもそんな、田沼さんの奥さまはそんなかたじゃないわ、そんなだますなんて――だまして一体誰（だれ）が何の得になるのよ。」

「じゃあ、母さんはあのおばさまのいうことを全部信用してるのね。」

母はぐっと詰まった。眼だけが躍起になっていて、口はだまって返辞をしなかった。げんはそれを見てい

て、むかむかっと、むちゃくちゃになった。「母さんは、あたしを信用していないのね、いいわ。田沼さんのおばさまはそんな人じゃないって母さんは私にいうけど、田沼さんのおばさまにもげんはそんな子じゃないっていってもらいたいわ。あたし、母さんにある程度は信用してもらってると思ってた！」

おしまいのほうは涙声になった。母は眼ばかりの顔をつと横へそらした。　（幸田文『おとうと』による）

15

問　傍線部「母はぐっと詰まった。」とあるが、それはなぜか。その説明として最も適当なものを、次の①〜⑤のうちから一つ選べ。　難易度★★☆☆☆

① 母の涙にもたじろがずげんが思いがけず田沼夫人の批判をし、わが子としてはふさわしくないことばまで口にするのを聞いて、驚きと悲しみに襲われたから。

② 言いたいことはだれよりもまず自分に話せと言いながらも、結局は友人のことばだけを重んじてしまっていることを、げんの一言によって鋭く指摘されたから。

③ 茫然（ぼうぜん）とした心理状態の虚を突いて出て来たげんのことばにより、それまで自分の信じ込んできた事が激しく揺さぶられ、不安が一度に胸に広がるのを感じたから。

④ もともと神経質な母は先刻来の口論にだんだんと気持ちが不安定となっていたが、年来の信仰の友とたのむ人をげんになじられ、その動揺が極度に達したから。

⑤ 感情的な母親と冷静な子供との間では議論の帰結は明らかで、無言だったげんが発言し始めると、母の追及のことばはたちまちその論理の矛盾をあらわしたから。

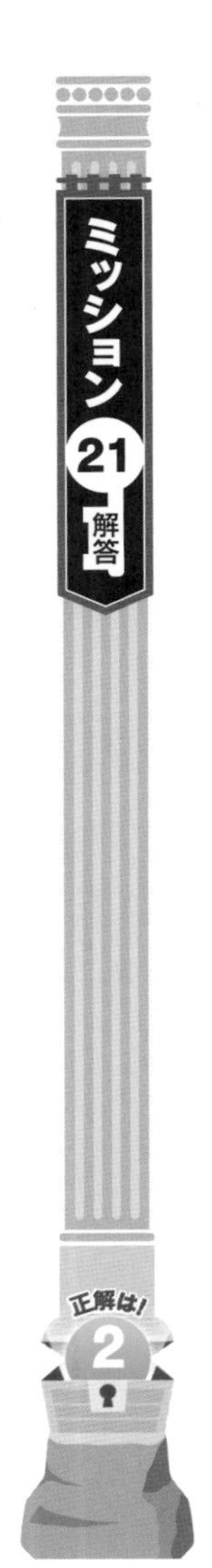

ズバリ法

母がぐっと詰まった《きっかけ》は、**「じゃあ、母さんはあのおばさまのいうことを全部信用してるのね。」**という、げんのセリフです。…それまでは絶好調でキレてますからね。

②「友人のことばだけを重んじてしまっていることを、げんの一言によって鋭く指摘されたから」……はい、ズバリ正解！　なお「**言いたいことはだれよりもまず自分に話せ**」は、本文の4行目の「なぜ私にじかにいわないの」と合致します。

消去法

①は「**田沼夫人の批判**」が《きっかけ》間違いで×。また、「**わが子としてはふさわしくないことば**」も、本文と合いません。

③は「**茫然とした心理状態の虚を突いて**」**が×**。それまで母は絶好調でした。

④は「**年来の信仰の友とたのむ人をげんになじられ**」が《きっかけ》間違いで×。

⑤は「**無言だったげんが発言し始めると**」が《きっかけ》間違いで×。

どうです〜？　《きっかけパターン》めっちゃ使えるでしょ？　ではもう一問。

ミッション22

次の文章を読んで、後の問いに答えよ。

制限時間 5分

※本文は、小学生の時田秀美と数人の仲間が、大好きな白井教頭に「生きてるのと、死んでるのって、どう違うんですか?」という質問をし、そこからみんなで意見を出し合い盛り上がっている場面である。

まあまあ、と言うように、白井は、子供たちを制した。

「なかなか、当たってるかもしれないぞ。でもな、心臓が止まっても呼吸が止まっても、お医者さんは、死んだと認めないこともあるんだぞ。それだけでは、生き返る場合もある」

白井の言葉に衝撃を受けて、子供たちは、顔を見合わせていた。信じられなかった。どうやら、死ぬのには、色々な条件があるらしい、と悟ったのは、この時が初めてだった。

「先生は、どう思うんですか?」

秀美は、もどかしそうに尋ねた。すると、微笑を浮かべて、白井は、自分のワイシャツの袖をまくり上げて、腕を出した。

「先生の腕を噛(か)んでみる勇気のある奴(やつ)はいるか?」

意外な質問に、子供たちは、驚いて言葉を失っていた。

「ぼく、やります!」

秀美は、呆気(あっけ)に取られる仲間たちを尻目に、いきなり、白井の腕に噛みついた。(中略)

「わあ、血が出てる」

誰かが呟いた。秀美は、自分の唇を指で拭った。口の中が生温く、錆びたような味が漂っていた。

「どうだ、時田、先生の血は？」

「あったかくって、ぬるぬるします。変な味がする」

「それが、生きているってことだよ」

白井の言わんとすることを計りかねて、子供たちは顔を見合わせた。秀美は、軽い吐き気をこらえながら、白井の次の言葉を待った。

「生きている人間の血には、味がある。おまけに、あったかい」

「じゃ、死ぬと味がなくなっちゃうんですか？」

「そうだよ。冷たくて、味のないのが死んだ人の血だ」

へえっと、驚きの声が上がった。

「だからな、死にたくなければ、冷たくって味のない奴になるな。いつも、生きてる血を体の中に流しておけ」

「どうやったら、いいんですか？」

「そんなのは知らん。自分で考えろ。先生の専門は、社会科だからな。あんまり困らせるな。それから、時田、このことも覚えとけ。あったかい血はいいけど、温度を上げ過ぎると、血が沸騰して、血管が破裂しちゃうんだぞ」


（山田詠美「眠れる分度器」による）

問 傍線部「微笑を浮かべて、白井は、自分のワイシャツの袖をまくり上げて、腕を出した」とあるが、この白井の行動にはどのような気持ちが込められているか。その説明として最も適当なものを、次の①〜⑤のうちから一つ選べ。

難易度★★★★☆

① 秀美には自分の中に興味や疑問が生じると性急に答えを求めたがる傾向がある。そんな彼のことを好ましく思いながらも、秀美の心のはやりをなだめ、一緒にみんなで考えるきっかけをつくろうとする気持ち。

② 心臓や呼吸が止まっただけでは人間の死とはいえないという話をしたことで、子供たちの表情はそれまでにない真剣なものに変わった。そこで、この場を利用して子供たちに人間の生命の大切さを理解させようとする気持ち。

③ 子供たち自身でものを考えるように会話をしむけることで、とりあえず子供たちの興味を引きつけることはできた。しかし、秀美だけは納得がいかない表情なので、わざと彼の勇気を試すようなものの言い方をして挑発する気持ち。

④ 人間の生と死にまつわる問題を子供たちと考えるのだから、いいかげんな理屈ではぐらかすわけにはいかない。だが、子供たちの目の前で、どうしたら生きていることの証(あかし)を見せてやることができるだろうかと思案する気持ち。

⑤ 好奇心が旺盛なくせに、普段は子供たちの仲間に入っていけない秀美が、いまやっと心を開こうとしている。絶好の機会だから、もっと彼の注意を引きつけて、人と人とが深く関わっていくことの楽しさを教えようとする気持ち。

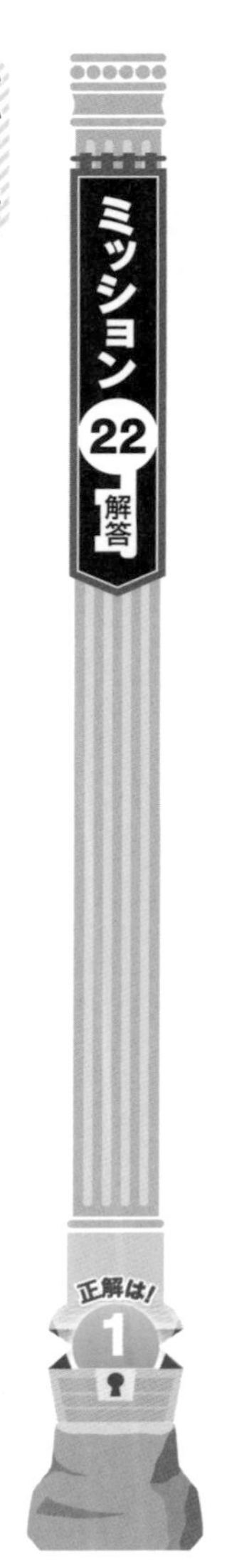

ズバリ法

「微笑を浮かべて、白井は、自分のワイシャツの袖をまくり上げて、腕を出した。」

……その《きっかけ》は、「**先生は、どう思うんですか？**」と、「**秀美は、もどかしそうに尋ねた**」からですね。ピンポイントで押さえられたかな？

消去法

①はまず、「**秀美には……答えを求めたがる傾向がある**」が、なんとも微妙で△。さらに、「**好ましく思いながらも⊕**」もタンコブに見えますが、これは傍線部の「**微笑を浮かべて⊕**」と対応しているので◎。そして「**秀美の心のはやりをなだめ**」は、《きっかけ》の「**もどかしそうに尋ねた**」と相性バッチリ！　これはキープしましょう。

②は「**子どもたちの表情はそれまでにない真剣なものに変わった**」が、《きっかけ》間違いで×。これだったら、もう1つ前のタイミングで腕をまくり上げなきゃいけません。

③の「**秀美だけは納得がいかない表情なので**」は、《きっかけ》に近いのでキープ。

④ですけど「**子供たちの目の前で……思案する気持ち**」……あれれ？　腕をまくり上げる

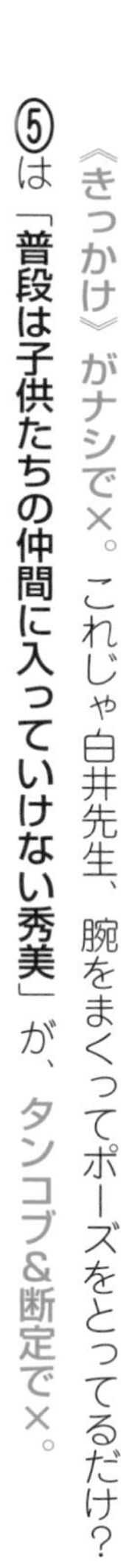

《きっかけ》がナシで×。これじゃ白井先生、腕をまくってポーズをとってるだけ？

⑤は**「普段は子供たちの仲間に入っていけない秀美」**が、タンコブ&断定で×。

比較法

①**「一緒にみんなで考えるきっかけをつくろうとする気持ち」**

＝「（みんなの中で）先生の腕を噛んでみる勇気のある奴はいるか〜？」

③**「わざと彼の勇気を試すようなものの言い方をして挑発する気持ち」**

＝「おう秀美〜。先生の腕を噛めるのか〜？　どうせ噛めないよね〜？」

↓白井先生は、子供たち全員に向けて呼びかけていますから、もちろん①が正解！

まあ、結局食いつくのは秀美なんだけどね。

①を**「秀美には……答えを求めたがる傾向がある」**でスパッと切っちゃった人へ。たしかに微妙だし気持ちはわかるけど、秀美は冒頭でも後半でも質問をしているので、それを考慮すれば「△」**でキープする値打ちはあったはず。**そうすれば、**比較法に持ちこんで正解する可能性が開けた**はず。「△」を建設的に使う、これが**「9割」の思考法**なのです。

【文学的文章攻略パターン②】《ニュートラル・パターン》！

《ヒントなし》も、「ヒント」である！

筆者の主張をはじめ、情報がギッチリ詰まっている「論理的文章」に比べ、「文学的文章」では、設問とは関係のない情景描写や状況説明がダラダラ続く場合があります。

喜 ×
怒 ×
哀 ×
楽 ×
◎
ニュートラル

傍線部の前後に、ヒントとなる**《心情描写》がほとんど書かれていない場合**（つまり、具体的な「ズバリの要素」がほとんどない場合）、その登場人物は「特別には、何とも思っていない」と判断しましょう。そして解答は、最も個性のない「ニュートラル（中立的Ⓝ）」な選択肢を選んでください！

つまり、「喜㊉・怒㊀・哀㊀・楽㊉」など**余計な〝意味〟が含まれる選択肢は「タンコブ」としてサクサク消去すればいいのです。**《ヒントなし》を、逆に「ヒント」と捉えてください！

ミッション23

次の文章を読んで、後の問いに答えよ。

制限時間 2分

二人の男は、物静かな、わざとらしいほど慎重な身ごなしで担架を車のレールに滑り込ませると、しっかりと固定した。おやじは、浴衣(ゆかた)から突き出た二本の棒きれのような足をまっすぐ海のほうに向けて、ほとんど身うごきもしなかった。例のトランクや、おふくろが病室で使う金属製の折畳み椅子——それはついこないだまでおやじが昼間気分の好い時にデッキチェアみたいにもたれていたものだ——、その他洗面器とか若干の食器類の入った風呂敷(ふろしき)包みも、僕や妻の手から一つずつ運転手と助手に渡され、彼等の手で車内の隙間に積み込まれた。そして最後におふくろがおやじの枕元に乗り込むと終(お)わりだった。この間、五分もかからなかった。

(阿部昭「司令の休暇」による)

問 傍線部「この間、五分もかからなかった」とあるが、ここには「僕」のどのような思いがうかがわれるか。その説明として最も適切なものを、次の①～⑤のうちから一つ選べ。

難易度 ★☆☆☆☆

① (父親が病院に行く準備があっという間に終わって)、拍子抜けしたように感じている。
② (係の男たちが入院の準備を整えた)、その手際のよさに驚き、感心してしまっている。
③ (入院を拒んでいた父親がじっとしていてくれたので)、ほっと安堵(あんど)を覚えている。
④ (あっけなく入院の準備が整えられてしまったので)、残念に思い、茫然(ぼうぜん)としている。
⑤ (短時間で入院の準備を終えた係の男たちの)、その性急さへの強い反感を抱いている。

1時間目 2時間目 3時間目 4時間目 5時間目 6時間目 7時間目 8時間目 9時間目 10時間目 最終確認テスト

ズバリ法

傍線部前後の「心情描写」に、ビシビシ線引きできたかな？　…え？　ほとんど引くところがなかった？　ハイ、そんなときには《**ニュートラル・パターン**》発動です！　ここでの「僕」の思いは………「**特別には、何とも思っていない**Ⓝ」に最も近いものが正解。

消去法

①「拍子抜けしたように感じている」　Ⓝ…………ん？…………あらら？
②「驚き、感心してしまっている」　⊕さすが業者さん、スゴいなぁ！
③「ほっと安堵を覚えている」　⊕ふう、親父が無事でよかった～
④「残念に思い、茫然としている」　⊖もう終わったの？　ウソだろ～
⑤「性急さへの強い反感を抱いている」　⊖5分？　早すぎだろ！　おい！

①に比べると、②③④⑤はそれぞれ、余分なことが書いてありますね。《ニュートラル・パターン》は、「タンコブ」を消去する作業と連動していきます！

神業裏技アカデミー

速読トライアル②

後回しOK！

小説は「ネタバレ読み」で突っ走れ！

共通テストの小説は、じっくり味わって読んでいるヒマなどありません。全体をサーっと読んで、展開をある程度つかめれば、問1から十分に戦えます。

まず、**リード文**（本文に入る前の導入文）**と冒頭からしばらくの間は、しっかり読んでください**。そして、登場人物の関係性をつかみ、ストーリーが動き出したら、そこから加速です！

2時間目（P49）で紹介した「視読」のイメージで、情景描写をどんどん読み飛ばしましょう。**だれが、どうして、どうなったか**……**だいたいの流れがつかめる、ギリギリのスピードに挑戦してください！**

そして、ラストの2段落はまたじっくり丁寧に読みましょう。**最後はどうなって、主人公はどんな気持ちになったのか**。「**ネタバレ」記事**を読むような感覚で「オチ」を押さえてください。（「読書」のやり方としては、最低だけどねー。）

じっくり　スピード　じっくり

ミッション24

次の文章を読んで、後の問いに答えよ。

制限時間 4分

背後ではすでに立ち並んだ石柱が鳴っていた。風はまだ本格的な山おろしの北風ではない。冬の本当の烈風は石の縁で笛のように甲高(かんだか)い音を発するのだが、まだゆるい風による低く鈍い音は、それだけに地球の自転する重い響きのようにも聞こえる。

暗黒で無限の宇宙空間の中を、大気という薄い膜に包まれてひたすら回転し続ける地球という巨大な岩石の孤独さが感じられる気がした。何らかの最初の物理的なきっかけのようなものはあるとしても、理由も目的も恐らくは意味もない回転。誰が回したのでもない回転。そんな回転を続けさせる見えない力。

冷え冷えとした感覚が意識を浸す。このストーンサークルが完成するとして、そこでさまざまな形の石塊の輪と石板に鳴る風の音が交響し合って啓示されるのは、理由も意味もなくこの惑星を回転させるその力の存在なのだろうか。

見捨てられた広大な石切場は、灰色の空の下で陰々と静まり返っている。切り取られた灰白色の肌を剝(む)き出しに風にさらしたまま。その遙(はる)か上で切り崩されなかった山肌の樹々が、密雲のうなりとともにざわめいている。

男は切迫した気分で崖縁から引き返し始めた。

石の輪の傍(かたわら)に小さな人影があった。

（日野啓三「風を讃えよ」による）

問 傍線部「冷え冷えとした感覚が意識を浸す」とあるが、それはどのような状態をいっているのか。その説明として最も適当なものを、次の①〜⑤のうちから一つ選べ。　難易度★★★☆☆

① 宇宙空間の中を回転し続ける地球の発する音を思わせる風の音に、その運動の根源にある、人間的な理由や目的を超えた目に見えない力を感じとり、その力の前で圧倒されている状態。

② 大気の複雑な流れや雲の動きあるいはゆるい風の音に、無限の宇宙空間の中を意味もなく回転し続ける地球という巨大な岩石の孤独さを感じとり、そこに住む人間のかぎりないさびしさを感じとっている状態。

③ やがて完成するであろうストーンサークルで、風の音が交響し合って啓示される力が、どんなものか確信できず、今までの作業が徒労に終わるのではないかという不安におそわれた状態。

④ 惑星を回転させる力の存在は、やがて完成するであろうストーンサークルによって啓示されると思い、その予感に喜びを感じる一方で、切迫した緊張感にとらわれている状態。

⑤ 石柱に吹きつけるゆるい風の音に、無限の宇宙空間の中を回転し続ける地球とその回転を続けさせる見えない力を感じ、人間の存在の理由や意味も空虚であるという意識にとらわれている状態。

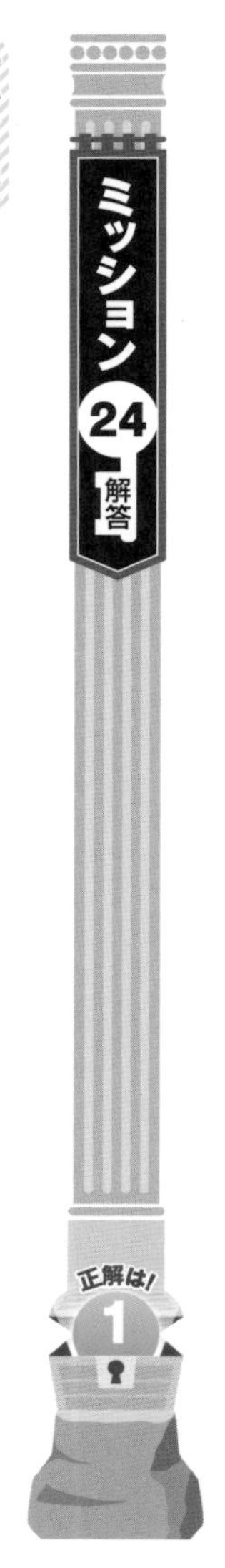

ズバリ法

「ズバリの要素」がまったくない……というわけではないのですが、**かなり情報が少ないパターン**。とりあえず、傍線部前後から「心情描写」をかき集めてみましょう。

ℓ4「**地球という巨大な岩石の孤独さ**が感じられる気がした。」

ℓ5「理由も目的も恐らくは意味もない回転。誰が回したのでもない回転。そんな回転を続けさせる**見えない力**。」

冷え冷えとした感覚が意識を浸す。

ℓ8「……理由も意味もなくこの惑星を回転させる**その力の存在**なのだろうか。」

「**地球＝孤独！**」そして「**地球を回転させる**、**見えない力！**」……「ズバリの要素」は以上でおしまい。それ以外の情報はすべてタンコブとして切り捨てていきましょう！

では、②③④を消去法で、①⑤を比較法で処理していきます。

消去法

~~②~~は「**そこに住む人間のかぎりないさびしさ㊀**」が**タンコブで×**。「孤独」なのは「地球」

本体なのであって、「人間」の感情なんて、ここでは無関係です。

③は「どんなものか確信できず」「今までの作業が徒労に終わるのではないかという不安㊀」が、共にタンコブで×。

④は「その予感に喜び㊉を感じる」がタンコブで×。

比較法

では、どちらが「ニュートラル」なのか？　比較法で見比べてみましょう。

①「圧倒されている状態」Ⓝ

＝「圧倒（＝うわ～）」は、㊉でも㊀でも使える、ニュートラルな語句といえます。

⑤「人間の存在の理由や意味も空虚であるという意識にとらわれている状態」

＝「人間の存在の理由や意味も、空虚だよなぁ～」って、色々考えちゃってる。

⬇結果的に、⑤もタンコブで×！　ちなみに「**圧倒されている**」は、13行目の「**切迫した気分**」とも対応していました。したがって①の完勝！

「文学的文章」、攻略のコツがつかめてきたかな？　次回は「実用的文章」に挑戦です。

「実用的文章」の新たな試練！

はい、ワタシ〝仕事〟がデキる人間ですので

「実用的文章」は、日常生活で実際に用いられる文章（**説明文・レポート・契約書・取扱説明書など**）＋資料（**図・グラフ・データなど**）という、現代文の新ジャンルです。

【本文】＝深い内容理解は求められない。（…読んでも面白くない、単なる情報。）

【設問】＝時間をかければ誰でも解ける。（…たんに、本文全体から探し出す問題。）

架空の学校の「校則」とか、買う気もない家電の「取扱説明書」とかを読まされ、「傍線部の内容がどこに書いてあるか、1分で探せ！」って……罰ゲームみたいなテストです。

ゆっくりやれば、誰でも必ずできる作業を、最速でこなす！

つまり「情報処理スピード」を測るテストなのです。ここはしっかり「**自分は〝仕事〟がデキる人間だ**」ってところを見せつけてください！　では、今回は演習3本立て！

ミッション25 次の文章を読んで、後の問いに答えよ。

制限時間 7分

キーワード	排除されるもの
思想または感情	外界にあるもの(事実、法則など)
創作的	ありふれたもの
表現	発見、着想
文芸、学術、美術、音楽の範囲	実用のもの

表1　著作物の定義

【文章】

[1] 著作物は、多様な姿、形をしている。繰り返せば、テキストに限っても――それして保護期間について眼(め)をつむれば――それは神話、叙事詩、叙情詩、法典、教典、小説、哲学書、歴史書、新聞記事、理工系論文に及ぶ。いっぽう、表1の定義に合致するものを上記の例示から拾うと、もっとも適合するものは叙情詩、逆に、定義になじみにくいものが理工系論文、あるいは新聞記事ということになる。理工系論文、新聞記事には、表1から排除される要素を多く含んでいる。(中略)

[2] 表2は、具体的な著作物――テキスト――について、表1を再構成したものである。ここに見るように、叙情詩型のテキストの特徴は、「私」が「自分」の価値として「一回的」な対象を「主観的」に「表現」として示したものとなる。逆に、理工系論文の特徴は、「誰」かが「万人」の価値として「普遍的」な対象について「客観的」に「着想」や「論理」や「事実」を示すものとなる。(中略)

[3] 多くのテキスト――たとえば哲学書、未来予測シナリオ、歴史小説――は叙情詩と理工系論文とを両端とするスペクトル(注1)のうえにある。その著作物性については、そのスペクトル上の位置を参照すれば、およその見当はつけることができる。

	叙情詩型	理工系論文型
何が特色	表現	着想、論理、事実
誰が記述	私	誰でも
どんな記述法	主観的	客観的
どんな対象	一回的	普遍的
他テキストとの関係	なし（自立的）	累積的
誰の価値	自分	万人

表2　テキストの型

4　表2から、どんなテキストであっても、「表現」と「内容」とを二重にもっている、という理解を導くこともできる。それはフェルディナン・ド・ソシュール(注2)の言う「記号表現」と「記号内容」に相当する。叙情詩尺度は、つまり著作権法は、このうち前者に注目し、この表現のもつ価値の程度によって、その記号列が著作物であるのか否かを判断するものである。ここに見られる表現の抽出と内容の排除とを、法学の専門家は「表現／内容の二分法」と言う。

5　いま価値というあいまいな言葉を使ったが、およそ何であれ、「ありふれた表現」でなければ、つまり希少性があれば、それには価値が生じる。著作権法は、テキストの表現の希少性に注目し、それが際立っているものほど、そのテキストは濃い著作権をもつ、逆であれば薄い著作権をもつと判断するのである。この二分法は著作権訴訟においてよく言及される。争いの対象になった著作物の特性がより叙情詩型なのか、そうではなくてより理工系論文型なのか、この判断によって侵害のありなしを決めることになる。

6　著作物に対する操作には、著作権に関係するものと、そうでないものとがある。前者を著作権の「利用」と言う。そのなかには多様な手段が

<table>
<tr><th colspan="2">著作物
利用目的</th><th>固定型</th><th>散逸型</th><th>増殖型</th></tr>
<tr><td colspan="2">そのまま</td><td>展示</td><td>上映、演奏</td><td>――――</td></tr>
<tr><td colspan="2">複製</td><td>フォトコピー</td><td>録音、録画</td><td>デジタル化</td></tr>
<tr><td colspan="2">移転</td><td>譲渡、貸与</td><td colspan="2">放送、送信、ファイル交換</td></tr>
<tr><td rowspan="2">二次的利用</td><td>変形</td><td colspan="3">翻訳、編曲、脚色、映画化、パロディ化
リバース・エンジニアリング（注3）</td></tr>
<tr><td>組込み</td><td colspan="3">編集、データベース化</td></tr>
</table>

表3　著作物の利用行為（例示）

あり、これをまとめると表3となる。「コピーライト」という言葉は、この操作をすべてコピーとみなすものである。その「コピー」は日常語より多義的である。

7 表3に示した以外の著作物に対する操作を著作物の「使用」と呼ぶ。この使用に対して著作権法ははたらかない。何が「利用」で何が「使用」か。その判断基準は明らかでない。 35

（名和小太郎『著作権2・0　ウェブ時代の文化発展をめざして』による）

（注）1　スペクトル――多様なものをある観点に基づいて規則的に配列したもの。

2　フェルディナン・ド・ソシュール――スイス生まれの言語学者（一八五七～一九一三）。

3　リバース・エンジニアリング――一般の製造手順とは逆に、完成品を分解・分析してその仕組み、構造、性能を調べ、新製品に取り入れる手法。

問1 【文章】における著作権に関する説明として最も適当なものを、次の①～⑤のうちから一つ選べ。

① 著作権に関わる著作物の操作の一つに「利用」があり、著作者の了解を得ることなく行うことができる。音楽の場合は、そのまま演奏すること、録音などの複製をすること、編曲することなどがそれにあたる。

② 著作権法がコントロールする著作物は、叙情詩モデルによって定義づけられるテキストである。したがって、叙情詩、教典、小説、歴史書などがこれにあたり、新聞記事や理工系論文は除外される。

③ 多くのテキストは叙情詩型と理工系論文型に分類することが可能である。この「二分法」の考えに立つことで、著作権訴訟においては、著作権の侵害の問題について明確な判断を下すことができている。

④ 著作権について考える際には、「著作物性」という考え方が必要である。なぜなら、遺伝子のＤＮＡ配列のように表現の希少性が低いものも著作権法によって保護できるからである。

⑤ 著作物にあたるどのようなテキストも、「表現」と「内容」を二重にもつ。著作権法は、内容を排除して表現を抽出し、その表現がもつ価値の程度によって著作物にあたるかどうかを判断している。

問2　傍線部「表2は、具体的な著作物――テキスト――について、表1を再構成したものである。」とあるが、その説明として最も適当なものを、次の①～⑤のうちから一つ選べ。

難易度★★☆☆☆

① 「キーワード」と「排除されるもの」とを対比的にまとめて整理する**表1**に対し、**表2**では、「テキストの型」の観点から**表1**の「排除されるもの」の定義をより明確にしている。

② 「キーワード」と「排除されるもの」の二つの特性を含むものを著作物とする**表1**に対し、**表2**では、叙情詩型と理工系論文型とを対極とするテキストの特性によって著作物性を定義している。

③ 「キーワード」や「排除されるもの」の観点で著作物の多様な類型を網羅する**表1**に対し、**表2**では、著作物となる「テキストの型」の詳細を整理して説明をしている。

④ 叙情詩モデルの特徴と著作物から排除されるものとを整理している**表1**に対し、**表2**では、叙情詩型と理工系論文型の特性の違いを比べながら、著作物性の濃淡を説明している。

⑤ 「排除されるもの」を示して著作物の範囲を定義づける**表1**に対し、**表2**では、叙情詩型と理工系論文型との類似性を明らかにして、著作物と定義されるものの特質を示している。

問1は傍線部がないので、選択肢の気になる箇所を、本文で確かめる手順となります。

①は、「**利用**」＝「**著作者の了解を得ることなく行うことができる**」が、断定っぽい！

↓6～7段落に、「**『使用』に対して著作権法ははたらかない**」とあるので×。

②は、「**新聞記事や理工系論文は除外される**」が、やはり断定っぽくて怪しい！

↓1段落後半で、理工系論文と新聞記事は「（著作物の）定義に**なじみにくい**」「排除される要素を**多く含んでいる**」とあります。あくまでも「程度」の問題ですから×。

③は、「**多くのテキストは……分類することが可能である**」が、また断定っぽい！

↓3段落に、「（多くのテキストは）**叙情詩と理工系論文とを両端とするスペクトルのうえにある**」とあります。はっきり「白／黒」と分類できるものではないので×。

④は、「**表現の希少性が低いものも著作権法によって保護できる**」が、なんか怪しい。

↓5段落に、「（**希少性が**）**際立っているものほど、そのテキストは濃い著作権をもつ**」とあります。つまり、希少性の低いものは保護する必要性が薄いということで×。

⑤の、「（**著作権法は**）**表現がもつ価値の程度によって……判断している**」という内容を確認。

↓4段落に、ほとんど同じ内容が書かれているので、**これが正解◎**！

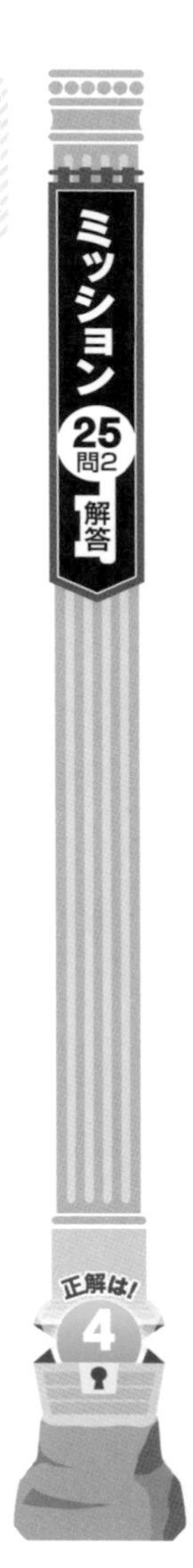

設問解析

表1を再構成したものが**表2**ですから、両者は基本的には同内容です。また**表1**に比べて、**表2**は具体的な著作物（テキスト）について詳しく触れているようです。

［**表1**　著作物の定義］
（著作物となる）**キーワード**⊕
（著作物から）**排除されるもの**⊖

［**表2**　テキストの型］
叙情詩型（著作物の代表的テキスト）⊕
理工系論文型（排除される代表的テキスト）⊖

消去法

①は、表2の「**表1の『排除されるもの』の定義をより明確にしている**」という説明が×。
②は、表1の「『**キーワード**』……**二つの特性を含むものを著作物とする**」という説明が×。
③は、表1の「**著作物の多様な類型を網羅する**」という説明が、断定で×。
④は、表1が「**叙情詩モデルの特徴と著作物から排除されるものとを整理**」、表2が「**叙情詩型と理工系論文型の特性の違い……著作物性の濃淡を説明**」なので、完璧な説明◎。
⑤は、表2の「**叙情詩型と……類似性を明らかにして**」いる、という説明が×。

ミッション 26

次の文章を読んで、後の問いに答えよ。

制限時間 5分

問 気候変動が健康に影響を与えることを知り、高校生として何ができるか考えたひかるさんは、**【資料Ⅰ】**（一部省略）と**【資料Ⅱ】**を踏まえたレポートを書くことにした。次の**【目次】**は、ひかるさんがレポートの内容と構成を考えるために作成したものである。これを読んで、後の（ⅰ）（ⅱ）の問いに答えよ。

【目次】

テーマ：気候変動が健康に与える影響と対策

はじめに：テーマ設定の理由

第１章　気候変動が私たちの健康に与える影響
- a　暑熱による死亡リスクや様々な疾患リスクの増加
- b　感染症の発生リスクの増加
- c　自然災害の発生による被災者の健康リスクの増加

第２章　データによる気候変動の実態
- a　日本の年平均気温の経年変化
- b　日本の年降水量の経年変化
- c　台風の発生数及び日本への接近数

第３章　気候変動に対して健康のために取り組むべきこと
- a　生活や行動様式を変えること
- b　防災に対して投資すること
- c　［　　X　　］
- d　コベネフィットを追求すること

おわりに：調査をふりかえって

参考文献

【資料Ⅱ】

地球温暖化の対策は、これまで原因となる温室効果ガスの排出を削減する「緩和策」を中心に進められてきた。しかし、世界が早急に緩和策に取り組んだとしても、地球温暖化の進行を完全に制御することはできないと考えられている。温暖化の影響と考えられる事象が世界各地で起こる中、その影響を抑えるためには、私たちの生活・行動様式の変容や防災への投資といった被害を回避、軽減するための「適応策」が求められる。例えば、環境省は熱中症予防情報サイトを設けて、私たちが日々の生活や街中で熱中症を予防するための様々な工夫や取り組みを紹介したり、保健活動にかかわる人向けの保健指導マニュアル「熱中症環境保健マニュアル」を公開したりしている。これも暑熱に対する適応策である。また、健康影響が生じた場合、現状の保健医療体制で住民の医療ニーズに応え、健康水準を保持できるのか、そのために不足している[注1]リソースがあるとすれば何で、必要な施策は何かを特定することが望まれる。例えば、21 世紀半ばに熱中症搬送者数が2倍以上となった場合、現行の救急搬送システム（救急隊員数、救急車の数等）ですべての熱中症患者を同じ水準で搬送可能なのか、受け入れる医療機関、病床、医療従事者は足りるのか、といった評価を行い、対策を立案していくことが今後求められる。また緩和策と健康増進を同時に進める[注2]コベネフィットを追求していくことも推奨される。例えば、自動車の代わりに自転車を使うことは、自動車から排出される温室効果ガスと大気汚染物質を減らし（緩和策）、自転車を漕ぐことで心肺機能が高まり健康増進につながる。肉食を減らし、野菜食を中心にすることは、家畜の飼育過程で糞尿などから大量に排出されるメタンガスなどの温室効果ガスを抑制すると同時に、健康増進につながる。こうしたコベネフィットを社会全体で追求していくことは、各[注3]セクターで縦割りになりがちな適応策に横のつながりをもたらすことが期待される。

（橋爪真弘「公衆衛生分野における気候変動の影響と適応策」による）

（注）1　リソース……資源。
　　　2　コベネフィット……一つの活動が複数の利益につながること。
　　　3　セクター……部門、部署。

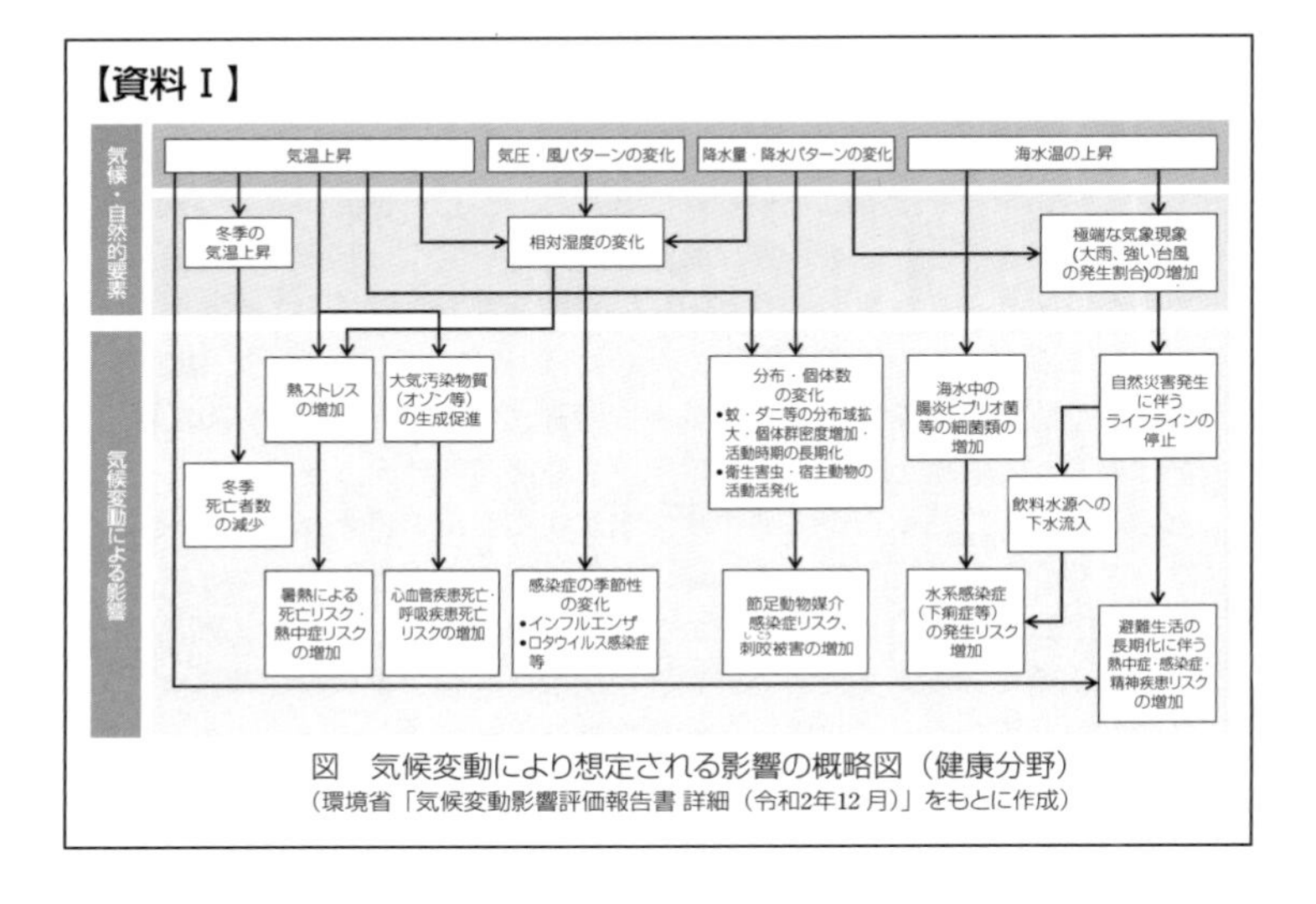

図　気候変動により想定される影響の概略図（健康分野）
（環境省「気候変動影響評価報告書 詳細（令和2年12月）」をもとに作成）

（ⅰ）**【資料Ⅱ】**を踏まえて、レポートの第３章の構成を考えたとき、**【目次】**の空欄 X に入る内容として最も適当なものを、次の①～⑤のうちから一つ選べ。　難易度 ★★★★☆

① 熱中症予防情報サイトを設けて周知に努めること

② 保健活動にかかわる人向けのマニュアルを公開すること

③ 住民の医療ニーズに応えるために必要な施策を特定すること

④ 現行の救急搬送システムの改善点を明らかにすること

⑤ 縦割りになりがちな適応策に横のつながりをもたらすこと

（ⅱ）　ひかるさんは、級友に**【目次】**と**【資料Ⅰ】【資料Ⅱ】**を示してレポートの内容や構成を説明し、助言をもらった。**助言の内容に誤りがあるもの**を、次の①～⑤のうちから一つ選べ。

難易度 ★★★☆☆

① Aさん　テーマに掲げている「対策」という表現は、「健康を守るための対策」なのか、「気候変動を防ぐための対策」なのかわかりにくいから、そこが明確になるように表現すべきだと思うよ。

② Bさん　第１章のｂの表現は、ａやｃの表現とそろえたほうがいいんじゃないかな。「大気汚染物質による感染症の発生リスクの増加」とすれば、発生の原因まで明確に示すことができると思うよ。

③ Cさん　気候変動と健康というテーマで論じるなら、気候変動に関するデータだけでなく、感染症や熱中症の発生状況の推移がわかるデータも提示できると、より根拠が明確になるんじゃないかな。

④ Dさん　第１章で、気候変動が健康に与えるリスクについて述べるんだよね。でも、その前提として気候変動が起きているデータを示すべきだから、第１章と第２章は入れ替えた方が、流れがよくなると思うよ。

⑤ Eさん　第１章から第３章は、調べてわかった事実や見つけた資料の内容の紹介だけで終わっているように見えるけど、それらに基づいたひかるさんなりの考察も書いてみたらどうだろう。

ズバリ法

空欄補充問題は、とにかく「ズバリ法」です。選択肢を1つずつ当てはめ、一番しっくりくるヤツを選ぶ……通称「**メガネ買うときのパターン**」が発動しちゃうと地獄行き決定。

空欄Xに入る言葉は、資料を上から順番に探しても単純には見つかりません。「**気候変動に対して健康のために取り組むべきこと**」、しかも「**高校生として何ができるか**」という視点でまとめたレポートだという〝**出題意図**〟**への気づき**が、正解のポイントでした。

消去法

①の「**熱中症予防情報サイト**」を設けることも、②の「**保健活動にかかわる人向けのマニュアル**」を公開することも、環境省の仕事です。④の「**救急搬送システムの改善点**」も、消防庁あたりの仕事だから、高校生が口をはさめる問題ではありません。⑤は、コベネフィットを社会全体で追求したその先に期待される事柄です。

③の、住民にとって必要な「**医療ニーズ**」は何か、その「**施策を特定する**（**見定めること**）」。a・b・dと並んで、これだったら高校生にも取り組めそうですね。**③が正解**！

ズバリ法

生徒のレポート（目次）に、生徒がアドバイス（助言）をするという、新傾向の問題。これは**「テキストを多角的に捉え直し、適切に評価できるか」**が課題となっています。「目次」も「助言」も生徒ですから、〝完璧〟な内容とは限りません。そのなかで**「まぁそういう考え方も、あるっちゃあるよねー」という、**柔軟な判断力が要求されるのです。

消去法

①は、「**気候変動が健康に与える影響と対策**」という表記では、「健康への対策」なのか「気候変動への対策」なのかわかりにくい、という指摘ですが、まあ、ナシではないか△。

②の助言、文字数のバランス的には良い指摘だけど……「**感染症**」は節足動物や水が発生源だから、「**大気汚染物質**」**が×**！　知っている人なら、知識で消せるよね。

③は、第2章のデータが「**気候変動**」に限定されているという助言で、まあ一理ある○。

④は「⑴**気候変動の実態**」「⑵**健康への影響**」の順番の方が良い？　……ごもっとも◎。

⑤は「**ひかるさんなりの考察**」も書けって……たしかにそうだ。……面倒くさいけどね〜。

ミッション27

次の文章を読んで、後の問いに答えよ。

制限時間 8分

今日は「一票の格差」について考えてみましょう。通常、議会の議員を選出する選挙では、選挙区ごとに議員定数が決められています。例えば、現在の衆議院議員総選挙の小選挙区選挙では、1つの選挙区から1人の議員が選出されます。1993年から94年にかけて行われた選挙制度改革前の衆議院選挙では、一つの選挙区からおおむね3人から5人の議員が選ばれる中選挙区制が長らくとられていました。ところで、二つの選挙区の議員定数が同じだとしても、有権者の数は同じではないのが普通です。その場合、これら2つの選挙区の間で、一票の価値に差があることになります。このとき、一票の価値に格差が存在する、あるいは単純に「一票の格差」が存在するといいます。そして、これら2つの選挙区の間で、有権者が少ない選挙区における一票の方が、それが多い選挙区における一票よりも重い、と表現します。(中略)

本日の講義では、まず、衆議院議員の選挙に注目し、1993年から94年の間に行われた選挙制度改革(以下では単に選挙制度改革と記す)との前後で一票の格差がどのように変化したかを確認しましょう。

日本では、人口調査に基づいて議員定数を定めています。この改革以前の衆議院選挙区定数は、終戦直後に当時の人口分布に基づいて決定された各選挙区の議員定数をもとに微調整されてきました。以下では、便宜上、東京都と埼玉県、千葉県、神奈川県、静岡県、愛知県、京都府、大阪府、兵庫県、広島県、福岡県を都市圏、その他の道県を地方圏と呼ぶことにして、都道府県別データに基づいて分析します。ただし、ここでは、時間的な変化を容易に比較できるように、1972年に返還された沖縄県を分析に含めないことにします。図1は、都市圏と地方圏における人口の時間的な推移を示しています。

一方、図2は、都市圏と地方圏が、それぞれ有する衆議院中選挙区議員定数の時間的な推移を示しています。終戦直後では、地方圏の人口が都市圏の人口を上回っていました。このため、地方圏により多くの議員定数が配分されていました。その後、1967年と1976年、1986年、1993年に議員定数が改定され、主に都市圏における議員定数が増やされました。図1と図2から、【　1　】がわかります。では、その結果、都市圏と地方圏で一票の価値がどのように変化したのか、見ていきましょう。

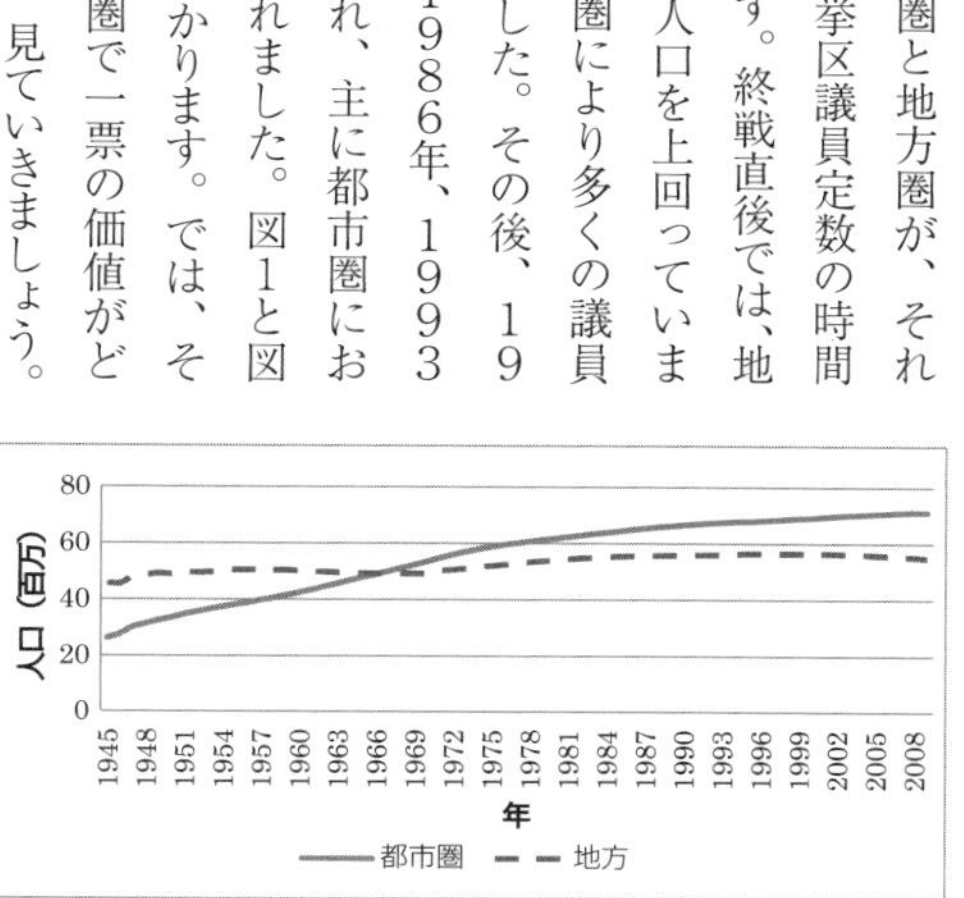

図1：都市圏と地方の人口の推移（資料：総務省「人口推計」）

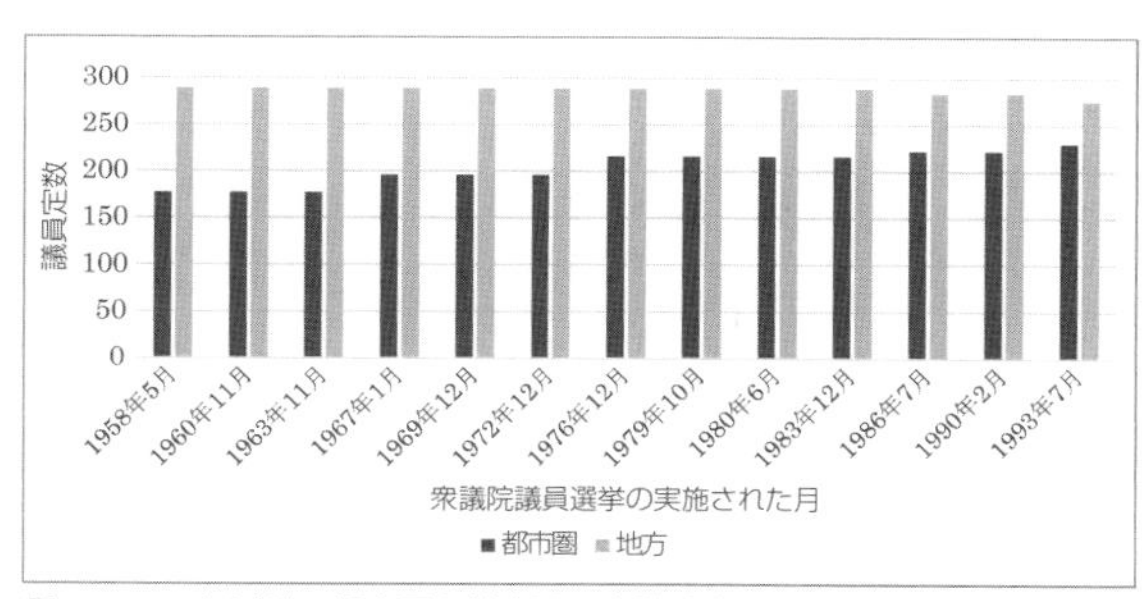

図2：1993年以前の都市圏と地方圏の衆議院中選挙区の議員定数の推移（資料：総務省「衆議院議員総選挙・最高裁判所裁判官国民審査結果調」）

30　　25　　20

ここでは、ある選挙区における一票の価値を、その選挙区における人口10万人当たりの議員定数で測ることにします。この値が大きい選挙区ほど一票が重く、それが小さい選挙区ほど一票が軽いことを意味します。その時間的な推移が図３に示されています。図３から明らかなように、１９９４年まで、一貫して、地方圏における一票は、都市圏における一票よりも重くなっていました。１９６７年と１９７６年の議員定数の改定によって、多少は一票の格差が縮小されたものの、１９８６年と１９９３年の改定では格差縮小の効果は小さいものに留まりました。

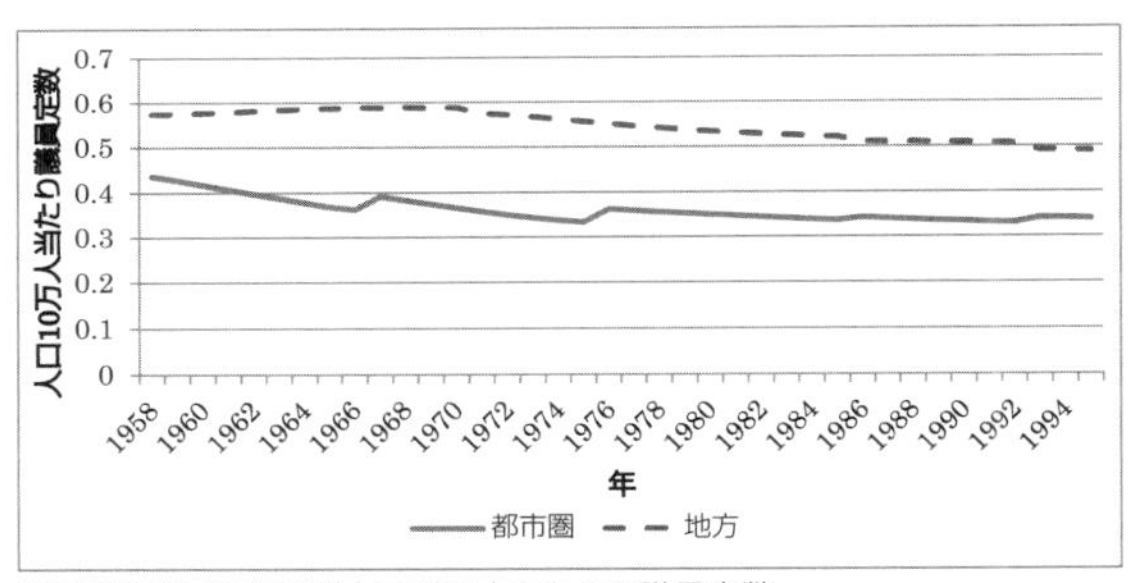

図3：都市圏・地方圏別人口10万人あたりの議員定数
（資料：総務省「人口推計」および「衆議院議員総選挙・最高裁判所裁判官国民審査結果調」）

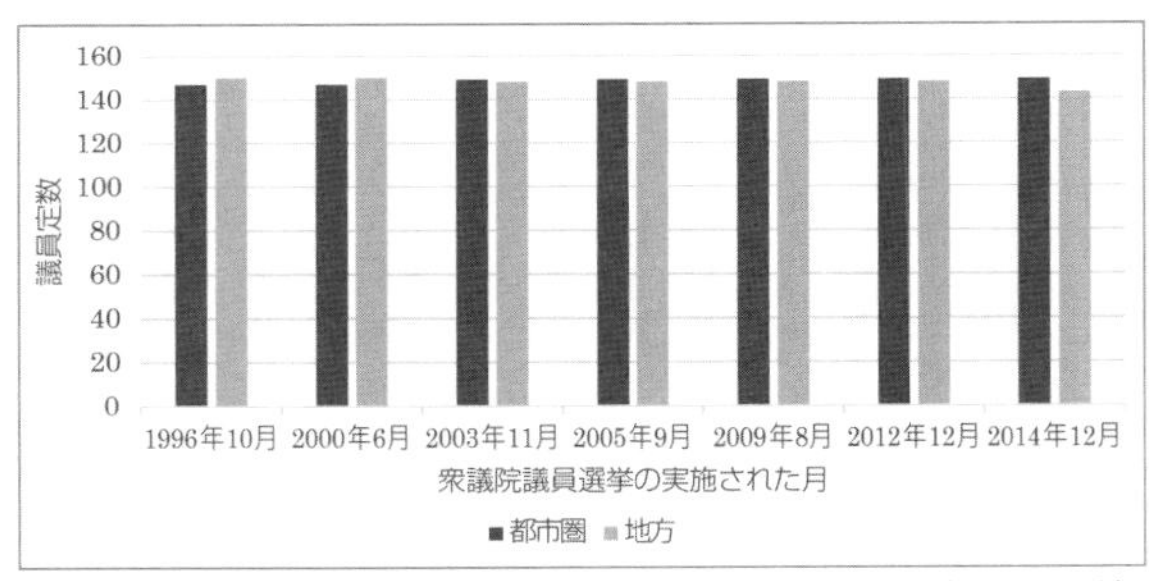

図4：都市圏・地方圏別衆議院小選挙区選出議員の議員定数の推移（1996年以降）
（資料：総務省「衆議院議員総選挙・最高裁判所裁判官国民審査結果調」）

45　40　35

１９９３年までの議員定数の改定が小規模なものであったのに対し、１９９３年から94年に行われた選挙制度改革に伴う衆議院議員総選挙の議員定数の変更は大幅なものでした。この改革においては、種々の制度変更とともに、１９９０年代前半の人口分布に基づいて議員定数が見直され、１９９６年の選挙から新しい定数が適用されました。その結果、終戦直後の人口分布に基づいて微調整されるにとどまってきた議員定数の配分は大きく変わりました。

図４は、新たな選挙制度において小選挙区から選出された衆議院議員が有する議員定数の時間的な推移を示しています。都市圏と地方圏の議員定数がほぼ同数になったことがわかります。２００３年以降は、都市圏の議員定数の方が地方圏のそれよりも多くなっています。では、この結果から、一票の格差が解消される方向に進んでいると結論できるでしょうか。

この点を確かめるために、図3と同様に人口10万人あたりの議員定数を一票の価値とみなして、地方圏における一票の価値と都市圏におけるそれとの比を地方圏と都市圏の一票の格差と定義します。

地方圏と都市圏の一票の格差＝地方圏における一票の価値／都市圏における一票の価値

図５（出題のため非表示）は、地方圏と都市圏の一票の格差の時間的な推移を示しています。そこから明らかなように、選挙制度改革直後の改定においては、それ以前の改定に比して、地方圏と都市圏の一票の格

差が大幅に縮まったと言えます。

参考文献：Yusaku Horiuchi and Jun Saito, "Reapportionment and Redistribution: Consequences of Electoral Reform in Japan," *American Journal of Political Science*, 2003, vol. 47, no. 4, pp. 669-682.

問1　図5として最も適しているものを、以下の①〜⑥の中から一つ選べ。ただし、すべての図において、縦軸は地方圏と都市圏の一票の格差、横軸は年を表す。

難易度 ★★★☆☆

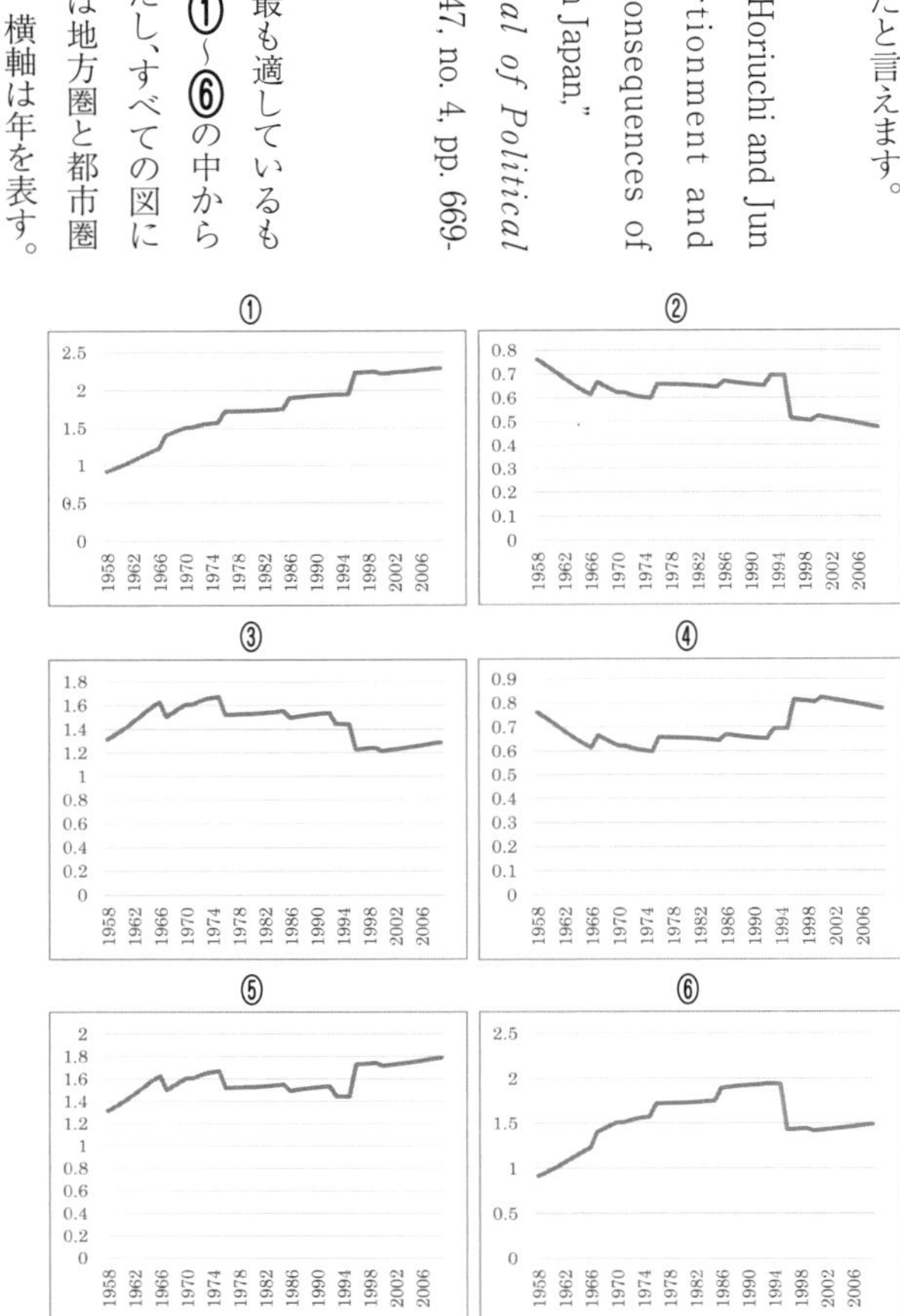

問2　文中の【　1　】に入る文章として最も適切なものを、以下の①〜⑤から一つ選べ。

難易度 ★★★☆☆

① 都市圏に対して地方圏の人口が多くなったのに対して、都市圏と地方圏における議員定数の配分はほぼ変わらなかったこと

② 地方圏に対して都市圏の人口が多くなったのに対して、都市圏における議員定数の増加が小幅にとどまったこと

③ 都市圏と地方圏との人口比が大きく変わらなかったので、都市圏と地方圏の議員定数の配分はほぼ変わらなかったこと

④ 地方圏に対する都市圏の人口比の変化と同じになるように、地方圏に対する都市圏の議員定数の配分比が修正されてきたこと

⑤ 地方圏に対する都市圏の人口比の変化を上回るように、地方圏に対する都市圏の議員定数の配分比が修正されてきたこと

本問は、早稲田大学政治経済学部の「総合問題（サンプル）」から抜粋しました。

図1は、沖縄県を除いた都道府県を「都市圏」と「地方圏」に分け、その「人口の推移」を示しています。**1967年と1976年、1986年、1993年**に「**議員定数**」**が改定**されましたが、**図2・図3**を見る限り、**「一票の格差」縮小の効果としては、小さいものにとどまります。** **1993〜94年、選挙制度改革**が行われます。これは、「中選挙区制」から「小選挙区比例代表並立制」への移行を指します。その結果、**図4**で見るように「都市圏」と「地方圏」の「議員定数」がほぼ同数となり、**「一票の格差」は大幅に改善されたのです。**

問1

本文の最後にある「地方圏と都市圏の一票の格差」の比（式）を見てみましょう。

仮に「**都市圏における一票の価値」と「地方圏における一票の価値」が完全に一致したら（つまり、格差がゼロになったら）**、**数値は「1」**。すなわち、「一票の格差」という観点では、「1」が目指すべき理想的状態だということになります。

正解の③を分析していきましょう。まず**図3**に注目すると、《1958〜1994年》における**「一票の価値」**は、**常に地方圏が都市圏よりも重くなっています。**つまりこの期間は、

図5の縦軸が「1」を下回ることは絶対にないということで、選択肢は③か⑤に絞られます。次に、**図5のグラフの折れ方**に注目します。「都市圏」の人口増加により、一票の格差がじわじわ広がっていくなか（**ゆるやかに右上方向↗**）、**1967年と1976年、1986年、1993年**に「議員定数」の改定が実施され（**小さく真下方向↓**）、**1994年**の選挙制度改革では大幅に改善されました（**大きく真下方向↓**）。この展開は、③がピッタリでした。

問2

「図1と図2から、【　1　】がわかります。」……では、図1と図2の関係を確認します。

図1の「**人口推移**」を見ると、都市圏の人口は伸び続け、1966年頃を境にして地方圏を上回っていきます。しかし、**図2**の「**議員定数の推移**」を見ると、1967年と1976年の改定で〝微増〟するものの、都市圏の議員定数が地方圏を上回ることはありません。したがって、「人口＝多くなった／議員定数＝小幅にとどまった」という、②が正解！

「実用的文章」は、とにかくスピードです。**単純作業を最短コースで駆け抜けましょう！**

新型「問567（コロナ）」にご用心！

Ex UP 恐怖の「最終問題ガチャ」!?

問5　次に示すのは、この文章を読んだ8人（生徒A～H）が話し合っている場面である。論旨を正しく理解できていると思われる発言を、次の①～⑧のうちから1つ選べ。

……まてまて、8人中7人が理解できてないって……話し合う意味あるのか？？

問6　この文章を読んだMさんは、作者（夏目漱石）のデビュー作、『吾輩は猫である』にちなんで、近所の猫の生活環境について調べて**【レポート】**をまとめることにした。

……何でこのタイミングで「猫」まとめるね～～～ん！！！

問7　「ピザ」って10回言ってみてください（ただしイタリア風に）。

……ピッツァピッツァピッツァピッツァピッツァピッツァピッツァピッツァピッツァピッツァ。（ここは？）「ひっずぁ（膝）」……って、ならないけど、なにこれ？

「**最終問題**（**問5・問6・問7**）」は、さまざまな形式の実験的な設問が出題されます。ここは「形式」ではなく、「出題意図」**で3タイプに分類**し、対策を練っていきましょう。

①「本文の内容」を理解できるかな？

「**レポートの作成**」「**生徒の話し合い**」といった形式で、本文の理解力を試すタイプ。本文全体を最初から読み直している時間なんてありません。例えば「空欄Xには、どんな内容が入るか？」……**やるべき自分の任務を、コンパクトに押さえましょう**！

②「本文の構成」を把握できるかな？

「**段落構成**」「**本文全体の展開**」などを問うタイプ。ちょっと厄介です。本文に四角い段落番号（1～）が付いているときは、**読解の段階から心の準備をしてください**！

③「新たな視点」に対応できるかな？

「生徒の意見交換」や「さまざまな資料」、そして「複数のテキスト」などを使って対応力を試すタイプ。設問文としっかり向き合い、**出題意図を正確に読み取りましょう**！

※本文は、共通テスト（令和3年度／第2日程）第1問の文章を、紙面の都合上、段落ごとに要約したものである。また設問の都合で本文の段落に1～8の番号を付してある。

1　椅子の「座」と「背」には、生理学的に二つの問題があった。一つ目は、自らの体重で身体に圧迫が生じること。もう一つは、上体を支える筋肉の緊張が苦痛をもたらすことである。

2　一七世紀、上体の筋肉の緊張を緩和するために、椅子の背が後方へと傾き始めた。こうした生理的な身体への配慮は、リクライニング・チェアや車椅子の発明へとつながっていった。

3　一七世紀半ばには、王者らしい威厳を保ちつつ、背を倒せば横臥（おうが）に近い姿勢をとれる車椅子や、背と足台を連動させ仮眠ができる病人用の椅子が生まれ、上流社会で静かに流行した。

4　もう一つの生理的配慮として、古代からクッションが使われてきた。クッションはステータスを表示する室内装飾の一つの要素と考えられ、その使用は階層性と深く結びついていた。

5　一六～一七世紀、別々だった椅子とクッションが合体し、椅子のイメージを柔らかいものにした。椅子の近代化は、快楽を志向する身体による椅子の再構成から始まったのであった。

6　だが、背の傾いた椅子も、柔らかい椅子も、宮廷社会の人間だからこそ生じた身体的な配慮である。「もの」は身分に結びつく政治学をもち、「身体」もまた、文化の産物なのである。

[7] 文化としての「身体」は、単純な自然的肉体ではない。衣装や椅子という「もの」が宮廷社会の中で形成され、それを使うことが宮廷社会への帰属を示す政治的記号となるのである。

[8] ブルジョワジーが支配の座につき、宮廷社会の「もの」の文化を吸収しつつ固有の身体技法を生み出していった。「身体」の仕組みは、それ自体に複雑な政治過程を含んでいるのだ。

（多木浩二（たきこうじ）『「もの」の詩学』による）

問1 この文章の構成と内容に関する説明として最も適当なものを、次の①～④のうちから一つ選べ。 難易度★★★★☆

① [1]段落では、本文での議論が最終的に生理学的問題として解決できるという見通しを示し、[2]～[5]段落では、支配階級の椅子を詳しく描写しながら[1]段落で触れた問題を解決するための過去の取り組みを説明している。

② [5]段落は、椅子の座や背を軟らかくする技術が椅子についての概念を決定的に変えてしまったことを述べており、[6]段落以降でもこの変化が社会にもたらした意義についての議論を継続している。

③ [6]段落と[7]段落では、生理学的な問題への配慮という角度から論じていたそれまでの議論を踏まえて、さらに「もの」の社会的あるいは政治的な記号という側面に目を向ける必要性を説いている。

④ [8]段落は、新たな支配階級がかつての支配階級の「もの」の文化を吸収し、固有の「身体技法」を生み出したことを述べ、[5]段落までの「もの」の議論と[6]段落からの「身体」の議論の接続を行っている。

問2 次に示すのは、この文章を読んだ後に、教師の指示を受けて六人の生徒が意見を発表している場面である。本文の趣旨に**合致しないもの**を、次の①〜⑥のうちから**二つ**選べ。ただし、解答の順序は問わない。

難易度 ★★★☆☆

教師――この文章では「もの」と「身体」との社会的関係について論じていましたね。本文で述べられていたことを、皆さんの知っている具体的な例にあてはめて考えてみましょう。

① 生徒A――快適さを求めて改良されてきた様々な家具が紹介されていましたが、家に関しても寒い地域では断熱性が高められる一方で、暑い地域では風通しが良いように作られています。私たちの「身体」がそれぞれの環境に適応して心地よく暮らしていくための工夫がいろいろ試みられ、近代的な家屋という「もの」の文化を生み出しています。

② 生徒B――身につける「もの」に複数の側面があるということは、スポーツで用いるユニホームについても言えると思います。競技の特性や選手の「身体」に合わせた機能性を重視し、そろいのデザインによって所属チームを明らかにすることはもちろんですが、同じ「もの」をファンが着て一体感を生み出す記号としての役割も大きいはずです。

③ 生徒C――「身体」という概念は文化の産物だと述べられていますが、私たちが箸を使うときのことを思い出しました。二本の棒という「もの」を用いて食事をするわけですが、単に料理を口に運べれば

よいのではなく、その扱い方には様々な「身体」的決まり事があって、それは文化によって規定されているのだと思います。

④生徒D――「身体」がまとう衣装は社会的な記号であるということでしたが、明治時代の鹿鳴館（ろくめいかん）では当時の上流階級が華やかな洋装で交流していたそうです。その姿は単なる服装という「もの」の変化にとどまらず、西洋の貴族やブルジョワジーの「身体」にまつわる文化的な価値を日本が取り入れようとしたことを示しているのではないでしょうか。

⑤生徒E――支配階級の交代にともなって「身体」のありようが変容するとありましたが、現代ではスマートフォンの登場によって、娯楽だけでなく勉強の仕方も大きく変わってきています。このような新しい「もの」がそれを用いる世代の感覚やふるまいを変え、さらには社会の仕組みも刷新していくことになるのではないでしょうか。

⑥生徒F――椅子や衣装にともなう所作のもつ意味に関連して、私たちが身につける「もの」の中でも、帽子には日射しを避けるという機能とは別の「身体」のふるまいにかかわる記号としての側面もあるのではないでしょうか。「脱帽」という行為は相手への敬意を表しますし、帽子を脱いだ方がふさわしい場もあると思います。

ズバリ法

みんなキライな「本文の構成」に関する問題。各段落冒頭に、四角い段落番号（1〜）が付いていたら、このタイプの設問がくる〝フラグ〟ですので、**「線引き」の段階から段落の「かたまり」や「切れ目」を意識して読んでいきましょう。**

1 **「椅子の生理学的問題」**（お尻と背中が痛い！）

2 3 **「生理的配慮①――椅子の背を後方へ傾ける」**

4 5 **「生理的配慮②――椅子にクッションをつめる」**

6 7 **「政治学的記号としての『もの』」**（「もの」も「身体」も、身分をはじめとする政治的・文化的な記号なのである！）

8 **「ブルジョワジーの身体技法」**（新たに台頭したブルジョワジーが、宮廷社会の「もの」を引き継ぎつつ、独自の「身体技法」を作り出していった。）

1〜5段落では、椅子の背を傾けたり、柔らかくしたりすることで、体の「生理学的」な

苦痛を和らげるという、**「もの」と「身体」の関係**が述べられていました。

しかし⑥段落に入ると、「そういう配慮って、宮廷社会のエライ人の高級な椅子だからでしょ?」という展開になります。つまり**「もの」は身分と密接に結びつく**「政治学的」**な存在であり、「身体」もまた、そうした文化によって意味づけされるものだ**と結論づけます。

消去法

①は、**「本文での議論が最終的に生理学的問題として解決できるという見通し」**が断定で×。「生理学的問題」は本文前半で触れられているだけで、けして最終的な結論ではありません。そもそも、そんな「見通し」自体がナシで×、という判断でもいいと思います。

②は、**「椅子の座や背を軟らかくする技術」**に限定で×。「背を後方へ傾ける技術」もお忘れなく。また**「⑥段落以降でもこの……議論を継続している」**というラストもダメ。

③の、**「『もの』の社会的あるいは政治的な記号という側面に目を向ける」**というのは、まさに⑥段落以降の内容と合致します。これが正解◎!

④は、**「⑤段落までの『もの』の議論」／「⑥段落からの『身体』の議論」**という対比関係が×。本文全体を通じ、「もの」と「身体」の密接な関わりが前提となっています。

消去法

続いて「生徒の話し合い」パターン。一人ずつ意見を言う**【それぞれバラバラ型】**の選択肢ですので、早速**消去法**で処理していきましょう。

①は不適。「**環境**」がタンコブで×でした。そもそも、暑い地域に風通しの良い家が多いのは、自然的な肉体が求めることであって、**政治的・社会的な問題ではありません**。

②は適切。ユニホームが、「**チームへの帰属**」**を示す政治的記号**になっているわけです。

③は微妙。でも、「**もの**」**が固有の身体技法**（＝**決まり事**）**を生み出していった**、という⑧段落の内容を踏まえれば、これは「アリ」という判断になります。

④は適切。**上流階級の衣装が社会的な記号になっている**という、⑦段落とほぼ同内容。

⑤は不適。「（**ものが**）**社会の仕組みも刷新していく**」が、逆だから×。「もの」が新たな「社会」をつくるのではありません。「社会」が「もの」を形成していくのです。

⑥も微妙。しかし③と同様、「**もの**」**が固有の身体技法**（＝**ふるまい**）**を生み出していったと**考えれば、本文の方向性と矛盾しません。

① 「生徒の話し合い」パターンを攻略せよ!

本文について意見を出し合う「**生徒の話し合い**」**パターン**は、新学習指導要領「**主体的・対話的で深い学び**」と合致しますので……残念ながら、今後もバンバン出ます。あくまで**生徒の発想**という設定だから、本文から少しズレた内容だったり、ちょっと幼稚で不完全な説明だったり……「生徒の自由な発想だから、尊重すべきだよね!」なんて顔して**微妙〜な（一応、論旨を踏まえている）選択肢**が並ぶ場合があります。腹立つけど、頑張るように。

【それぞれバラバラ型】＝8人の生徒が、それぞれバラバラに発言するタイプ。

↓基本的に、**消去法**で攻略していきます。「**もしこの選択肢が×だとすると、ココが怪しい!**」というポイントを絞って、「△」を付け、**本文で確認**していきましょう。

【ディスカッション型】＝数人で会話をしながら、考えが展開していくタイプ。

↓こちらは**空欄補充**になるケースが多いです。とにかく、「**空欄にはどんな内容が入るのか?**」という**一点集中で挑みましょう**。「**レポート**」**型**の設問も、この方針で攻略です。

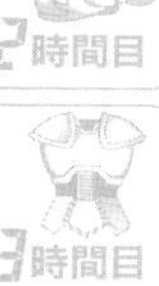

1時間目
2時間目
3時間目
4時間目
5時間目
6時間目
7時間目
8時間目
9時間目
10時間目
最終確認テスト

②「複数テキスト」形式に対応せよ！

共テ現代文では、「本文」に対して「資料（図・表・グラフ）・レポート」など「**複数のテキストを横断的に理解する力**」が試されます。でもまあ、その役割は「実用的文章」にお任せし、ここでは「2つの本文【文章Ⅰ・文章Ⅱ】」**を読解する形式**を対策していきます。本文が2つあるからって、分量が増えるわけではありません。恐れず対処していきますよ！

【しっかり頭を切りかえよ！】＝「違う作者」による「違う内容」への対応力。

↓『ワンピース』を読んでいる途中に『推しの子』を渡されても、ス〜っとストーリーに入っていける能力が求められます（↑人生で必要な能力なのか…？）。とくに**【文章Ⅱ】へ移行する瞬間**、文体やリズムが変化するので、バランスを崩さないように注意です！

【きっちり要点を押さえよ！】＝短いからこそ、論旨を確実に押さえる読解力。

↓当然のことですが、長〜い「1つの本文」よりも、短い「2つの本文」の方が**内容も展開も浅くなります**！　逆に、それぞれの「要点」を押さえ損なうと、頭に何も残らないままフワ〜っと読み終わってしまいがちです。【文章Ⅰ】と【文章Ⅱ】は、**どこが同じで、どこが違うのか？**　内容が〝浅い〟からこそ、要点はコンパクトに押さえましょう！

ミッション29 ル・コルビュジエに関する2つの考察【文章Ⅰ】【文章Ⅱ】を読んで、後の問いに答えよ。

制限時間 8分

【文章Ⅰ】

建築家のル・コルビュジエは、いわば視覚装置としての「窓」をきわめて重視していた。そして、彼は窓の構成こそ、建築を決定しているとまで考えていた。したがって、子規の書斎（病室）（※この直前に、寝たきりの正岡子規にとって、部屋に設置されたガラス障子は「視覚装置」だ、という記述がある）とは比べものにならないほど、ル・コルビュジエは、視覚装置としての窓の多様性を、デザインつまり表象として実現していった。とはいえ、窓が視覚装置であるという点においては、子規の書斎（病室）のガラス障子といささかもかわることはない。しかし、ル・コルビュジエは、住まいを徹底した視覚装置、まるでカメラのように考えていたという点では、子規のガラス障子のようにおだやかなものではなかった。子規のガラス障子は、フレームではあっても、操作されたフレームではない。他方、A ル・コルビュジエの窓は、確信を持ってつくられたフレームであった。

ル・コルビュジエは、ブエノス・アイレスで行った講演のなかで、「建築の歴史を窓の各時代の推移で示してみよう」といい、また窓によって「建築の性格が決定されてきたのです」と述べている。そして、古代ポンペイの出窓、ロマネスクの窓、ゴシックの窓、さらに一九世紀パリの窓から現代の窓のあり方までを歴史的に検討してみせる。そして「窓は採光のためにあり、換気のためではない」とも述べている。こうしたル・コルビュジエの窓についての言説について、アン・フリードバーグは、ル・コルビュジエのいう住宅は「住むための機械」であると同時に、それはまた「見るための機械でもあった」のだと述べている。さらに、ル・

コルビュジエは、窓に換気ではなく「視界と採光」を優先したのであり、それは「窓のフレームと窓の形、すなわち「アスペクト比」の変更を引き起こした」と指摘している。ル・コルビュジエは窓を、外界を切り取るフレームだと捉えており、その結果、窓の形、そして「アスペクト比（ディスプレイの長辺と短辺の比）が変化したというのである。

実際彼は、両親のための家をレマン湖のほとりに建てている。まず、この家は、塀（壁）で囲まれているのだが、これについてル・コルビュジエは、次のように記述している。

> 囲い壁の存在理由は、北から東にかけて、さらに部分的に南から西にかけて視界を閉ざすためである。四方八方に蔓延（まんえん）する景色というものは圧倒的で、焦点をかき、長い間にはかえって退屈なものになってしまう。このような状況では、もはや〝私たち〟は風景を〝眺める〟ことができないのではなかろうか。景色を望むには、むしろそれを限定しなければならない。思い切った判断によって選別しなければならないのだ。すなわち、まず壁を建てることによって視界を遮（さえ）ぎり、つぎに連（つ）らなる壁面を要所要所取り払い、そこに水平線の広がりを求めるのである。
>
> （ル・コルビュジエ『小さな家』）

風景を見る「視覚装置」としての窓（開口部）と壁をいかに構成するかが、ル・コルビュジエにとって課題であったことがわかる。

（柏木博（かしわぎひろし）『視覚の生命力――イメージの復権』による）

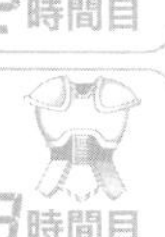

【文章Ⅱ】

一九二〇年代の最後期を飾る初期の古典的作品サヴォア邸は、見事なプロポーションをもつ「横長の窓」を示す。が一方、「横長の窓」を内側から見ると、それは壁をくりぬいた窓であり、その意味は反転する。それは四周を遮る壁体となる。「横長の窓」は、「横長の壁」となって現われる。「横長の窓」は一九二〇年代から一九三〇年代に入ると、「全面ガラスの壁面」へと移行する。スイス館がこれをよく示している。しかしながらスイス館の屋上庭園の四周は、強固な壁で囲われている。大気は壁で仕切られているのである。

かれは初期につぎのようにいう。「住宅は沈思黙考の場である」。あるいは「人間には自らを消耗する〈仕事の時間〉があり、自らをひき上げて、心の琴線に耳を傾ける〈瞑想(めいそう)の時間〉とがある」。

これらの言葉には、いわゆる近代建築の理論においては説明しがたい一つの空間論が現わされている。一方は、いわば光の疎んじられる世界であり、他方は光の溢(あふ)れる世界である。つまり、前者は内面的な世界に、後者は外的な世界に関わっている。

かれは『小さな家』において「風景」を語る:「ここに見られる囲い壁の存在理由は、北から東にかけて、さらに部分的に南から西にかけて視界を閉ざすためである。四方八方に蔓延する景色というものは圧倒的で、焦点をかき、長い間にはかえって退屈なものになってしまう。このような状況では、もはや〝私たち〟は風景を〝眺める〟ことができないのではなかろうか。景色を望むには、むしろそれを限定しなければならない。（中略）北側の壁と、そして東側と南側の壁とが〝囲われた庭〟を形成すること、これがここでの方針である」。

ここに語られる「風景」は動かぬ視点をもっている。かれが多くを語った「動く視点」にたいするこの「動かぬ視点」は風景を切り取る。視点と風景は、一つの壁によって隔てられ、そしてつながれる。風景は一点から見られ、眺められる。壁がもつ意味は、風景の観照の空間的構造化である。この動かぬ視点（テオリア）（※theōria―ギリシア語で、「見ること」「眺めること」の意）の存在は、かれにおいて即興的なものではない。

かれは、住宅は、沈思黙考、美に関わると述べている。初期に明言されるこの思想は、明らかに動かぬ視点をもっている。その後の展開のなかで、沈思黙考の場をうたう住宅論は、動く視点が強調されるあまり、ル・コルビュジエにおいて影をひそめた感がある。しかしながら、このテーマはル・コルビュジエが後期に手がけた「礼拝堂」や「修道院」において再度主題化され、深く追求されている。「礼拝堂」や「修道院」は、なによりも沈思黙考、瞑想の場である。つまり、後期のこうした宗教建築を問うことにおいて、動く視点にたいするル・コルビュジエの動かぬ視点の意義が明瞭になる。

（呉谷充利『ル・コルビュジエと近代絵画――二〇世紀モダニズムの道程』による）

※写真は編集部手配

問　次に示すのは、授業で**【文章Ⅰ】【文章Ⅱ】**を読んだ後の、話し合いの様子である。空欄 X に入る発言として最も適当なものを、後の①〜④のうちから一つ選べ。

難易度 ★★★★★

生徒A――**【文章Ⅰ】**と**【文章Ⅱ】**は、両方ともル・コルビュジエの建築における窓について論じられていたね。

生徒B――【文章Ⅰ】にも【文章Ⅱ】にも同じル・コルビュジエからの引用文があったけれど、少し違っていたよ。

生徒C――よく読み比べると、［　X　］。

生徒B――そうか、同じ文献でもどのように引用するかによって随分印象が変わるんだね。

① 【文章Ⅰ】の引用文は、壁による閉塞とそこから開放される視界についての内容だけど、【文章Ⅱ】の引用文では、壁の圧迫感について記された部分が省略されて、三方を囲んで形成される壁の話に接続されている

② 【文章Ⅰ】の引用文は、視界を遮る壁とその壁に設けられた窓の機能についての内容だけど、【文章Ⅱ】の引用文では、壁の機能が中心に述べられていて、その壁によってどの方角を遮るかが重要視されている

③ 【文章Ⅰ】の引用文は、壁の外に広がる圧倒的な景色とそれを限定する窓の役割についての内容だけど、【文章Ⅱ】の引用文では、主に外部を遮る壁の機能について説明されていて、窓の機能には触れられていない

④ 【文章Ⅰ】の引用文は、周囲を囲う壁とそこに開けられた窓の効果についての内容だけど、【文章Ⅱ】の引用文では、壁に窓を設けることの意図が省略されて、視界を遮って壁で囲う効果が強調されている

【文章Ⅰ】と【文章Ⅱ】、それぞれの要点を整理してみましょう。

【文章Ⅰ】 **〔住宅〕＝窓から外を見るための機械である！**

↓風景を見る「視覚装置」としての窓（開口部）と壁をいかに構成するかが、ル・コルビュジエにとって課題であった。

【文章Ⅱ】 **〔住宅〕＝沈思黙考、瞑想の場である！**

↓四周を壁で囲み、開口部（＝窓）を限定することで「動かぬ視点」が形成され、住宅は沈思黙考の空間となるのだ。

設問解析 「空欄Ｘ」の前後から、答えるべき内容を再構成しましょう。

【文章Ⅰ】と【文章Ⅱ】が、同じ文献（『小さな家』）を引用していたけれど、そこには違いがありました。「よく読み比べると、［　Ｘ　］。」……さて、どんな違いでしょうか？

ズバリ法 【文章Ⅰ】と【文章Ⅱ】の、『小さな家』の引用箇所の違いを確認します。

【文章Ⅰ】

囲い壁の存在理由は……視界を閉ざすためである。四方八方に蔓延する景色というものは圧倒的で、焦点をかき……むしろそれを限定しなければならない。**思い切った判断によって選別しなければならないのだ。すなわち、まず**壁を建てることによって視界を遮ぎり、**つぎに**連らなる壁面を要所要所取り払い、**そこに**水平線の広がりを求める**のである。**

【文章Ⅱ】

ここに見られる囲い壁の存在理由は……視界を閉ざすためである。四方八方に蔓延する景色というものは圧倒的で、焦点をかき……むしろそれを限定しなければならない。（中略）北側の壁と、そして東側と南側の壁とが〝囲われた庭〟を形成する**こと、これがここでの方針である。**

消去法　ここでは、①と②を消去していきます。

①は「**壁の圧迫感**」**が**タンコブで×。こんなワードは【文章Ⅰ】にも【文章Ⅱ】にも出てきません。

②は「（【文章Ⅱ】では）**どの方角を遮るかが重要視されている**」が限定で×。壁で囲うことが大事なのであって、方角が重要なのではありません。……風水じゃあるまいし。

比較法　③と④は、比較法で処理していきます。

×③【文章Ⅰ】＝「**圧倒的な景色**」と「**それを限定する窓**」の役割について

◎④【文章Ⅰ】＝「**周囲を囲う壁**」と「**そこに開けられた窓**」の効果について

↓【文章Ⅰ】のラストに「**窓**（**開口部**）**と壁をいかに構成するかが、ル・コルビュジエにとって課題であった**」とあります。また「四方八方に蔓延する景色というものは圧倒的で」という記述は【文章Ⅱ】にも書かれているので、【文章Ⅰ】だけの特徴とは言えません。したがって、④の勝利！

△③【文章Ⅱ】＝「**窓の機能には触れられていない**」

◎④【文章Ⅱ】＝「**壁に窓を設けることの意図が省略されて**」

↓「窓の機能に触れない」というのは、かなり断定的な表現だから△。それに比べて「**壁に窓を設けることの意図**」というのは、【文章Ⅰ】の「**水平線の広がりを求める**（**ため**）」と合いますね。やはり、④でOKでしょう！

神業裏技アカデミー

選択肢ンリ学②

後回しOK！

「適当でないもの」は〝つぎつぎ戦法〟で！

「適当でないものを選べ」の場合、選択肢は［◎◎◎×◎］になります。どうせほとんどが「◎」なのだから、1つの選択肢で立ち止まって悩むのは、非効率です。微妙な箇所にはとりあえず△をつけ、つぎつぎ前へ進むのが、この設問のセオリーです。

問　宮下先生のお母さんの特徴として、**適当でないもの**を1つ選べ。

① お母さんは、歌が上手だ。（まあ、下手ではないと思うけど……△）
② お母さんは、運動が得意だ。（学生時代、陸上部だったとか聞いたような……△）
③ お母さんは、料理が上手だ。（ん〜〜、カレーと肉じゃがは美味しいかも……△）
④ お母さんは、オランウータンだ。（だだ誰に言うとんねん！　完全に×じゃ！）
⑤ お母さんは、右利きだ。（もうどっちでもええわ。どうせ◎でしょ？）

どうせ後半に「**ものすご〜い×**」がきますから、止まらずどんどん前へ進んでください。
ちなみに「適当でないもの」は、④が正解になることが非常に多い……ってコレ、内緒な！

至高の正解フラグ①……「ズバリひねり」！

本文＝**雨が降っている**→選択肢＝**天候がぐずついている**、なんて感じで、「**ズバリの要素**」をあえてひねって言い換えた選択肢＝「ズバリひねり」を**発見したら**……**じつは正解フラグです！**　本文の表現とは違っていても、粘って「△」で残してください。むしろ**本文ソックリの美しい選択肢**なんて、「どうせエサだろ？」って、クールに疑いましょう。

［**本文**］……わずか二時間たらずのあいだに**人間の一生**を描くことができた理由であり、神による**天地創造の神話**から**一億光年の彼方**の宇宙の物語まで映画は語りえたのである。

問　「映画」が「時間に依存している」ことで、どのような結果が生じたと考えられるか。

① 映画は、△人間の一生をわずか二時間たらずで映し出すことを可能にした。

② 映画は、限られた時間のなかで◎壮大な時空間を描き出すようなことを可能にした。

①は本文とソックリですが、3つの例の1つにしか触れていないので、**限定で×**。

②の「**壮大な時空間**」というワードは本文にありませんが、**3つの例**（**長い時間・遠い時間・遠い空間**）**を一言にまとめた上手な表現**です。「ズバリひねり」発動でこれが正解！

至高の正解フラグ②……「つるん理論」！

「消去法」頻出度ランキング、第一位は「タンコブ」型です。裏を返せば、正解の選択肢は**「タンコブ（出っ張り）」が少なく**……何となく「つるんつるん」しているんですよね〜。

① **手紙の内容から妹が満ち足りた暮らしをしていると想像していたわけではないが、**……夢の実現を目指して貧しい生活をしている◎彼女を痛ましく思っている。

③ **手紙の内容から妹の生活に関して安心感を抱いていたのだが、**……兄の自分だけにはもっと素直に頼ってほしかったと、残念に思っている。

この設問、後半勝負でアッサリ①が正解（③がタンコブで×）なんですけど、今回は前半部に注目。一行目に限れば、むしろ③のほうが素直でわかりやすい内容です。ただ、①のピンクの部分は、**この長さにして、とくにな〜んの情報もなく**（つまり、手紙への感想は「無」なのです）、結果「つるんつるんつるん」と読み進んでしまう感じ……これ、**「正解」特有の〝匂い〟**なんです。もちろん、これで「正解確定」ってわけではないけど、正解フラグ。ザ「つるん理論」！　……先日、大手予備校の模試を作成されていたA先生が、急に連絡をくださいました。「つるん理論」を読んで、「……バレた！」って思ったんだって（笑）。

武器(アイテム)＋技術(メソッド)＝「スゴ技」で、最強の敵を倒せ！

フフフ、ようやくたどり着いたようだね。キミが来るのを、約10時間待っておったぞ。

「線引きアイテム」「3段メソッド」「攻略テクニック」……**これらがしっかり身についているのか!?** そして、本当に共テ現代文で「9割」とれるレベルに到達しているのか!?

いざ、「ラスボス討伐」の最終試練(ラストミッション)に挑戦せよ!!!!

ラスボスの正体は…「**センター小説／01追試(改)**」。なんと20年以上前の、しかも小説。でもこれが、センター史上〝最強&最上級〟の選択肢問題に違いありません。

制限時間は15分。設問数は4問。「3勝1敗」以上でラストミッション・クリアです!!

本書で培った「武器」と「技術」を総動員し、完全討伐（4連勝）を目指してください！

……言っとくけど、気を抜いたらアッサリ4連敗喰らうからね！　では……「はじめ！」

ミッション 30

次の文章を読んで、後の問いに答えよ。

制限時間 15分

私どもがまだ幼かった頃、つまり五十年ほど前は、大きくなったら何になりたい、と訊くと、運転手、と答える子が多かった。私もそう答えた覚えがある。それが現今の子が、宇宙人やロボットに関心を抱くのに似ているのかもしれない。

電車も汽車もそのずっと以前から走っていたのだけれど、そんなことは私どもとは関係がない。幼い頃に、身のまわりのものや世の中のことどもを、ひとつひとつ認識していく。その道中で、どうにも子供の日常感覚では手に余るようなものがあり、その代表が電車の類だったと思う。あの鋼鉄の物体が線路の上を驀進するというのが、馴染めないし、逆に吸い寄せられることにもなる。運転手、という返答をきいて大人は笑ったが、これは大人の手前、(ア)邪気を殺して健全に答えたにすぎないので、私どもの頭には大人の在り方として、まっ先に運転手という形が出てくるが、自分が運転手になれるとは思わない。それどころか、彼等が、それこそ宇宙人のように遠く冷たい生き物に見えた。(私のその頃のイメージでは、運転手というものは、太い縁の眼鏡をかけ、小鼻の脇に筋がきざまれ、こころもち歯の出た石炭殻のような表情をしていた)

自動車やバスは、数がすくなかったせいもあるけれど、なんだか柔らかくスィートで、動いているのが諒解できる。飛行機はまだ日常的なものではなかった。一度、隣家にかこまれた庭から見える小さな青空の中に飛行船が現われて、肝をつぶしたことがあったが、それも一度きりだ。

電車の類に、私どもがうまく対応できなかったのは、その個体の暴力性ということのほかに、電車たちの世界全体が持っているデジタルな仕組みのようなものをなんとなく感じていたのでもあろう。ひとつひとつはただ意味なく狂奔(きょうほん)しているように見えるけれど、誰(だれ)がなんでそんなことをするのか知らないが、どこかで牛耳(ぎゅうじ)っているものがあって、それで全体が一糸乱れず狂奔している、というのがすっと喉(のど)をとおりにくい。

私、ばかりでなく、私どもは、その牛耳り、牛耳られているものを、小さな掌(てのひら)の中に摑(つか)みとろうとして、電車ごっこ、なる遊びに夢中になるのである。これはつまり、あの世界の箱庭で、狂おしい響きや邪魔物を踏み潰していくような険悪なものは欠け落ちている。しかし全体の仕組みのメカニックな質量は、想像力でいくらでもふくらませることができる。

生家の部屋の中で、畳のヘリの黒いところを線路に見立てて、私も夢中になってやった。デパートで売っている電気仕掛けの玩具(がんぐ)には興味が起きなかった。何故(なぜ)といって、それらは個体でしかなかったから。[A]私の電車は、積木の木片であり、絵葉書の類だった。たくさんの電車を、できるだけ複雑な構成で走らせなければならない。私はまもなく、運転手どころか、どこかで全体を牛耳っている怪物になりすますことができた。その遊びは幼児期を脱しても卒業できない。そのかわり複雑さが増す。時刻表(ダイヤグラム)のとおり目覚まし時計をおいて、全体が寸分たがわず動かなければならない。線路は次第に拡張されて、三つぐらいの部屋にまたがっている。やりはじめたら最後、途中でやめる余裕はない。そうして、煩雑な構成が定まってしまうと、牛耳っている気分よりも、煩雑さを実行せねばならぬ命題の虜(とりこ)となってしまって、面白いどころか、退屈で、小忙(こぜわ)しくて、いたずらに疲労に包まれる。さながら私自身がその世界に沈んで牛耳られているようになった。[B]実際は、牛耳り、牛耳られる、というふうになって、この遊びが完成したのでもあろうけれど、それ以外にもうひとつ、中毒、という症状が残る。中学生になってもやめられない。六つ年下の弟にその病気が移った。弟は、電車の音を「まァあ――」というふうに表現した。ごおッ、とか、ガタンゴトン、とか、そういう常套(じょうとう)句(く)の折衷ではなく、「まァあ、まァ、まァあ」という。そういう表現をする男を他に知らない。けれども全体の響きに混じってたしかにそういう旋律が含まれているようでもあり、電車の音に対する彼の自信がうかがえた。そうして、朝から晩までそんなことをやっていると父親が、実に苦々しげに眼を寄越していた。

けれども、電車ごっこの類をしていないのは、この家では母親だけのはずだった。父親は電車ごっこという形にはならなかったが、私どもと同じく朝から晩まで、トランプを切り並べかえしているのだった。

「御飯ですよ、お父さん」

「ああ――」

「来てください。汁がさめてしまうから」

「今、行く」

「――お父さんたら」

弟は、「まァー」という声を出している。私は、「ズン、ズン、タン、タン、タン――」と小さく呟(つぶや)いて全体を徐行させる。父親は無言でカードを切っている。父親は自分の遊びについて、何も説明しなかったけれど、私も弟も、実は私どもと同じ種類の遊びをしていることを知っていた。その証拠に、父親は包紙の裏などに、シャッフルしたカードを並べた結果をいちいち記入していた。その包紙の切れ端が溜まると、少し惜しそうに眺めた後、鼻をかんでしまう。それは表面的には占いかなにかだったのだろうが、不特定の多数の人物に

対してであって、たとえば世界中の未知の人物を占っていたかもしれない。

恩給生活で何もすることがなかったせいもあるけれど、それよりなにより、その遊びをはじめてしまった以上、なまじっかなことで手抜きはできない。私も弟も、父親が起(た)つまでは起たなかった。そうして父親が怒鳴る。 50

「食事といわれたら食事しないか」

私は、小さい時分、生きるとはこういうことだと思っていた。つまり、生産にも消費にも関与しないが、小忙しく、退屈で、疲労困憊(こんぱい)してしまうようなものだというふうに。 55

C私の感じでは、それで、電車の類と充分に親密になれたつもりでいた。或(あ)いは、諒解ができた、というべきか。

（色川武大「雀」による）

問1 傍線部（ア）の表現の本文中における意味内容として最も適当なものを、次の①～⑤のうちから一つ選べ。 難易度★★★★☆

(ア) 邪気を殺して
① 幼さを装って
② 敵意を押し隠して
③ 何も考えないで
④ 感情を抑えて
⑤ まじめなふりをして

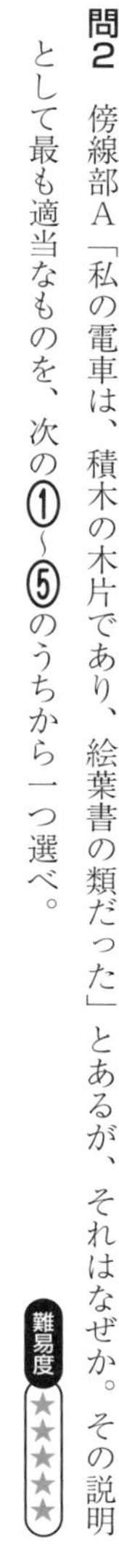

問2 傍線部Ａ「私の電車は、積木の木片であり、絵葉書の類だった」とあるが、それはなぜか。その説明として最も適当なものを、次の①～⑤のうちから一つ選べ。

① 電気仕掛けの玩具は模型としてすでに完成されたものであったのに対し、積木の木片や絵葉書は想像を働かせ自分の好みにあわせて車両を編成することができたから。

② 電気仕掛けの玩具はメカニックで固く冷たい感じがしたのに対し、積木の木片や絵葉書は素朴で温かみがあり動かしていて手になじみやすかったから。

③ 電気仕掛けの玩具はひとつひとつが独立したものであったのに対し、積木の木片や絵葉書はいくつも連結させることによって列車に見立てることができたから。

④ 電気仕掛けの玩具はそれだけで完結していたのに対し、積木の木片や絵葉書はひとつひとつを次々に動かすことによって想像の中で電車の世界を表現することができたから。

⑤ 電気仕掛けの玩具の動きが決まりきったものであったのに対し、積木の木片や絵葉書は想像力を働かせて思い通りに複雑な動きをさせることができたから。

問3 傍線部B「実際は、牛耳り、牛耳られる、というふうになって、この遊びが完成した」とあるが、「完成した」とはどのようになったことか。その説明として最も適当なものを、次の①～⑤のうちから一つ選べ。

① 自分自身の手でたくさんの電車を動かすことに喜びを覚えると同時に、その構成の複雑さに自らが支配されているような感じを抱くことで、本当に電車の世界らしくなったこと。

② 電車ごっこの線路を拡張して構成を煩雑にしていくにしたがい、遊びに対する興味が薄れて疲労を感じるようになったが、すでに容易なことではやめられないほど中毒になってしまっていたこと。

③ たくさんの電車を複雑な構成で走らせる電車ごっこを通じて、電車のもつ険悪な暴力性に圧倒されつつも、自分が電車の世界を支配する存在にとってかわることができるようになったこと。

④ たくさんの電車を自分の思うがままに動かすことを楽しんでいたが、しだいに電車を正確に運行させることが自分の義務であるかのように感じはじめ、そのために遊びを続けるようになったこと。

⑤ 電車ごっこに興じるうちに電車の仕組みの煩雑さにも対応できるようになったが、より実物に近いものを追求するあまり途中で遊びをやめられなくなってしまったこと。

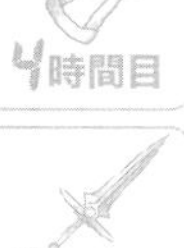

問4 傍線部C「私の感じでは、それで、電車の類と充分に親密になれたつもりでいた。或いは、諒解ができた、というべきか」とあるが、それはなぜか。その説明として最も適当なものを、次の①～⑤のうちから一つ選べ。 難易度★★★★☆

① 父や弟の姿を通じて人生の不毛さに思いいたると、それまでの自分の未熟さも自覚でき、たくさんの電車を複雑に走らせることの退屈さにも耐えられるようになったから。

② 電車の世界が途中で休むことを許されない果てしない営みに支えられていることを知って、そこに自分が普段の生活の中で感じているのと同じ疲労を感じたから。

③ 中毒になるくらいに電車ごっこに熱中し、電車の音の細かい特徴などもつかめるようになって、電車が家族と同じような身近な存在に思えるようになったから。

④ 電車たちが一糸乱れず運行されている姿に近づきがたいものを感じていたが、電車ごっこによって電車を動かす側に立ち、世の中の仕組みはこのようなものだと納得できたから。

⑤ 電車ごっこも人生も、同じように単調で煩雑な営みの繰り返しだということに気づき、幼い頃電車に対して感じていた脅威や違和感をぬぐいさることができたと思えたから。

ズバリ法

ℓ1 (大人「大きくなったら何になりたい?」➡私「運転手!」)

ℓ7 運転手、という返答をきいて大人は笑ったが、
これは大人の手前、(ア)邪気を殺して**健全に**⊕答えたにすぎない

消去法

「**大人の手前、邪気を殺して**」➡「**大人の前だから、無邪気なフリをして**」➡「**幼さを装って**」と連想できれば、正解の①「**幼さを装って**」にたどり着けたかもしれません。でも……ちょっとキビシイかな。ここは「消去法」で、他の選択肢を処理しちゃいましょう!

②を選んだ人は……「**邪気**㊀」という漢字だけで想像しましたね? **文脈も〝3割〟は意識しないとダメなのです**!「私」は大人に「敵意」なんて持っていませんよ。

③を選んだ人は……**慎重さが足りません**! 何も考えずに「うんてんしゅ〜♪」じゃなくて、「私」は**大人の前で気を遣い**、健全で子供らしい「運転手」という答えをチョイスしたのです。それに、「何も考えないで」は⊕ではなく、ニュートラルⓃだからダメ。

④を選んだ人は……語句の意味を正しく捉えるように！「感情を抑えて」は、普通「キレそうなとき」などに使います。「（くそぉ！ ムカつく！ ぐぬぬぬ……がまんがまん………）運転手」なんだこの状況？ **②**と同じで、文脈も〝3割〟です。

⑤を選んだ人は……子供の頃、**周囲の期待に抑圧されていたタイプ**？（冗談です、ごめんなさい）「運転手＝まじめ」なんて、勝手に思い込んではいけません！ またこの内容だと、私が本来「不まじめな人間だ」という前提になってしまいます。

ズバリ法

ℓ.24 A［電気仕掛けの玩具㊀］＝「**個体**」でしかない！

ℓ.25 B［積木の木片や絵葉書㊉］＝ⓐ「**たくさん**」の電車を、ⓑ「**複雑な構成**」で走らせることができる！

「ズバリの要素」が〝並立〟する場合、正解でも〝並立〟する

例えば「『ジャイアン』と『スネ夫』が、キャッチボールをしている」という内容に対して、「『ジャイアン』(だけ)が、キャッチボールをしている」という選択肢は、不完全だから×となります。「ズバリの要素」が2つ〝並立〟して存在する場合、正解にも、2つ入っていなければなりません。(「ジャイアンたち」という表現なら、セーフ)逆に、2つのうち1つしか入っていない不完全な選択肢は、あっさり「**限定**」で×、と判断できるのです。

今回、Bの場合は、ⓐ「**たくさん**(複数)」の電車であることと、ⓑ「**複雑な構成**」であること、この2つの要素が入っている選択肢のみ、正解の権利があるのです。

消去法

ここでは、A=「電気仕掛けの玩具」/B=「積木の木片や絵葉書」とします。

①はA=「**完成されたもの**」/B=「**自分の好みにあわせて車両を編成することができた**」……「車両を編成」するだけでは「たくさん」&「複雑な構成」にならないので×。

②はA＝「**メカニックで固く冷たい感じ**」／B＝「**素朴で温かみがあり動かしていて手になじみやすかった**」……いやいや、なにが木のぬくもりだ。当然×だ。

③はA＝「**ひとつひとつが独立したもの**」／B＝「**いくつも連結させることによって列車に見立てることができた**」……これだと、1本の長～い列車になってしまいますね。「たくさん」の電車ではなくなるので×。「複雑な構成」にもなりません。

④はA＝「**それだけで完結していた**」／B＝「**ひとつひとつを次々に動かす**」……こ、これはスゴイ！　Bの「**ひとつひとつを**」がⓐ「**たくさん（複数）の電車**」であること、「**次々に動かす**」がⓑ「**複雑（それぞれバラバラ）な構成**」であることを表現しているのです！　まさに「**ズバリひねり**」発生！　……ラストの「**想像の中で電車の世界を表現することができた**」は、一旦△。しかし、改めて本文を確認すると「（運転手どころか、）**どこかで全体を牛耳っている怪物になりすますことができた**」の部分と対応していたと気づきます。これはまさに、極上の正解選択肢でした。

⑤はA＝「**動きが決まりきったもの**」／B＝「**思い通りに複雑な動き**」……簡単にいうとA＝「単純な動き」／B＝「複雑な動き」という関係です。「**動き**」に限定しているうえに、「**たくさん**」の要素がないから×！　と判断できます。

ズバリ法

［1］「牛耳っている状態⊕」

＝ℓ26「どこかで全体を牛耳っている怪物になりすますことができた」

［2］「牛耳られている状態⊖」

＝ℓ30「煩雑さを実行せねばならぬ命題の虜となってしまって、面白いどころか、退屈で、小忙しくて、いたずらに疲労に包まれる」

［3］実際は、牛耳り、牛耳られる、というふうになって、この遊びが完成した。

［4］ℓ32「それ以外にもうひとつ、中毒、という症状が残る」

最初は「牛耳っている⊕」状態だった。次に「牛耳られている⊖」状態になった。でも「実際は」違って、「牛耳り牛耳られる」状態なのです！……わかる？「愛し愛される」と同じ構造。「愛する」の後「愛される」のではなく、双方向〝ラブラブ〟なのです!!

それでは、選択肢②③⑤を消去法で処理し、①と④は比較法で処理します。

消去法

②は「**遊びに対する興味が薄れて**」「**中毒**」がタンコブで×。「中毒」は傍線部のあと！

③の「**険悪な暴力性**」ですが、さすがに電車ごっこでは感じないでしょう。

⑤の「**電車の……対応できるようになった**」程度では「牛耳る⊕」レベルにありません。

比較法

①「自分自身……喜び⊕」と同時に、「支配されているような感じ⊖」

⬇「牛耳り⊕」と同時に「牛耳られ⊖」！

④「自分の……楽しんでいた⊕」しだいに「義務であるかのように感じはじめ⊖」

⬇「牛耳り⊕」しだいに「牛耳られ⊖」！

①「本当に電車の世界らしくなった」

⬇ん？　完了形？　設問文の「完成した」と合致しますね！

④「遊びを続けるようになった」

⬇ん？　エンドレス？　トゥービーコンティニュード？

したがって、①の勝ち！「比較法」で完璧に解くのって、気持ちいいでしょ？

ズバリ法

A〔電車ごっこを通して、わかったこと〕

⬇電車の世界は、ℓ30「**退屈で、小忙しくて、いたずらに疲労に包まれる**」ものだ。

B〔私が小さい時分から思っていたこと〕

⬇生きるということは、ℓ55「**小忙しく、退屈で、疲労困憊してしまうようなものだ**」。

私の感じでは、それで、電車の類と充分に親密になれた⊕つもりでいた。或いは、諒解ができた⊕、というべきか。

⬅それはなぜか。

極上の「なぜ系問題」。「親密になれた・諒解ができた⊕」の理由なので、**正解も⊕の内容になる**ことを確認しましょう。次に指示語の処理です。「それ」が指すのは「AとBが、同じだと気づいたこと」です。総合すると、今まで謎の存在として恐れていた「**電車の世界**」が、「**生きること**」**と同様で、たんに疲れるものだ**と気づいて**納得できた**という内容です。

それでは、①③④を消去法、②と⑤を比較法で処理します！

消去法

①は「**父や弟の姿を通じて**」という前提と、「**それまでの自分の未熟さ**」が、タンコブで×。ラストの「**退屈さにも耐えられるようになった**」も本文の内容と合わないので×。

③の「**電車の音の細かい特徴**」をつかんだのは、弟だから×。また「**電車が家族と同じような身近な存在に思える**」ですが、そういうタイプの親密さではありません。

④は、電車の近づきがたさを「**一糸乱れず運行されている姿**」に**限定しているので**×。また「**世の中の仕組み**」が納得できたという結論も×。諒解できたのは電車の世界です。

比較法

② 「同じ疲労を感じたから」㊀
⬇「**電車の世界も、しんどいんだなぁ〜**」＝㊀の結論！

⑤ 「脅威や違和感をぬぐいさることができたと思えたから」㊉
⬇「**電車の世界は、怖いものでもない！**」＝㊉の結論！

問3もそうですが、とにかく設問に対して正しく答えることが、入試現代文の本質です。出題意図からズレていないか、こまめに設問文に戻って確認してください。

受験生の皆さんへ

ラスボスは、無事に撃退できましたか？　……え？　人生最大級にボコられたって？

「1問ミス以内」の人は、見事に合格です！　本番まで「現代文は、満点が当たり前（1問でもミスったら恥）！」**という、高いプライドを持って演習に励んでください。**

「2問ミス以上」の人は、残念ながらもう一度読み直し！　ここまでバラバラ集めてきた情報（メソッド）に血が通い、**今度こそ強靭な〝9割ボディ〟が手に入るはずです。**

最後まで読んでいただき、ありがとうございました。「現代文は苦手だ～」という人が、「嫌いじゃないかも？」→「むしろ好きかも？」→「じつは得意だわ！」って進化していくような本を目指して書きました。タイトルはちょっとアレだけど、じつはガチ伸びするチート級参考書。コンパクトサイズなのに、表紙がダサいからちょっと持ち歩きにくい謎の参考書（笑）。この『スゴ技』が、キミにとってスペシャルな一冊になれば嬉しいです。

あとはひたすら問題演習！　まずは「**じっくり満点をとる練習**」。慣れてきたら「**最速で解き切る練習**」。手に入れた武器をピッカピカに磨いて本番に臨んでください！

残り時間を、全力で駆け抜けよう！　次の世界が、キミの到着を待っています。

現代文講師　宮下善紀

資料①

マーク式頻出漢字250

224ページ

資料②

現代文重要単語150

232ページ

共通テスト「評論（論理的文章）」の問1は漢字の問題。4～5択の選択肢問題だから、「出やすい漢字」「出にくい漢字」をある程度分析できます。なかでも「5問中、いつも1～2個間違えちゃう」……の1～2個を集めた自信作です。とくに「漢字の意味」のところをしっかり覚えると、熟語の推理力がめちゃくちゃ上がります！

さらに「現代文重要単語」も掲載しております。評論を速く、そして正確に読むために必要な、最低限の語句を集めました。「小説（文学的文章）」問1の対策も兼ねていますから、文系理系問わず、本編と併行してしっかり暗記してください！

センター出題回数

上の読み方の常用漢字数

オマケ漢字

	例題	解答（太字の漢字の意味）	使用例
イ 6回 24コ	① 人事イドウの季節。	異 動（こと―なる）	異彩・異端・異郷・奇異・驚異
	② 条例にイキョする。	依 拠（頼りにする）	依存・依然・依頼・帰依(キエ)
	③ 核兵器のキョウイ。	脅 威（強くて立派・脅す・強い力）	威圧・権威・示威・猛威
	④ イサイを承知する。	委 細（任せる・詳しい）	委員・委曲・委嘱・委任
	⑤ 関係者カクイに告ぐ。	各 位（場所・身分）	位相・即位・単位・品位
	⑥ ムイに時を過ごす。	無 為（ため・行う）	為政者・行為・作為・所為
	⑦ 人心をイブする。	慰 撫（なぐさ―める・いたわる）	慰安・慰謝・慰問・慰労・慰霊

▲【維】維持・繊維　【遺】遺憾・遺棄　【偉】偉業・偉人　【違】違和・相違　【緯】緯度・経緯

	例題	解答（太字の漢字の意味）	使用例
イン 2回 13コ	⑧ インボウを暴く。	陰 謀（かげ）	陰影・陰険・陰湿・光陰
	⑨ 証拠をイントクする。	隠 匿（かく―す）	隠居・隠語・隠蔽・隠喩
	⑩ インシュウを打破する。	因 襲（よ―る・物事が起こるわけ）	（＝因習）・因縁・因果・遠因

▲【引】引導・索引　【員】幅員・人員　【韻】余韻・韻律

	例題	解答（太字の漢字の意味）	使用例
エイ 1回 10コ	⑪ 新進キエイの画家。	気 鋭（するど―い）	鋭敏・鋭利・新鋭・精鋭
	⑫ ゼンエイ芸術家。	前 衛（守る・守る人）	衛生・衛星・護衛・防衛

▲【栄】栄転・栄枯　【詠】詠嘆・吟詠　【営】営利・陣営　【影】投影・幻影　【英】英断・英知

	例題	解答（太字の漢字の意味）	使用例
エン 3回 17コ	⑬ 私鉄のエンセンに住む。	沿 線（そ―う）	沿海・沿革・沿岸
	⑭ コウエンな理想を抱く。	高 遠（とお―い・隔たりが大きい）	遠征・遠慮・敬遠・深遠
	⑮ 会社のエンコ採用。	縁 故（ふち・つながり・巡り合わせ）	縁側・縁起・縁日・血縁

▲【延】延滞・遅延　【円】円滑・円熟　【援】援用・援護　【怨】怨恨・私怨

	例題	解答（太字の漢字の意味）	使用例
カ 3回 32コ	⑯ カブンにして存じません。	寡 聞（少ない）	寡黙・寡占・多寡
	⑰ 積極カダンな行動。	果 断（は―たす・果実・結果）	果敢・果実・果報・釣果
	⑱ スンカを惜しんで働く。	寸 暇（ひま）	閑暇・余暇
	⑲ カクウの請求書。	架 空（か―ける・物をかける台）	架橋・担架・十字架

▲【過】過分・看過　【禍】禍福・舌禍　【渦】渦中・戦渦　【稼】稼動・稼業

	例題	解答（太字の漢字の意味）	使用例
カイ 7回 25コ	⑳ 過去をジュッカイする。	述 懐（なつ―かしい・ふところ）	懐疑・懐古・懐柔・懐中
	㉑ 両者にカイザイする問題。	介 在（仲立ちをする・助ける）	介抱・魚介・媒介・厄介
	㉒ ゲンカイ体制を敷く。	厳 戒（いまし―める・注意する）	戒告・戒名・警戒・戒律
	㉓ カイモク見当がつかない。	皆 目（みな・すべて）	皆勤・皆無・皆既日食

▲【回】回顧・旋回　【壊】壊滅・崩壊　【改】改訂・更改　【悔】悔恨・後悔　【解】解雇・解剖　【塊】団塊

	例題	解答（太字の漢字の意味）	使用例
カク 8回 18コ	㉔ 陰でカクサクする。	画 策（描く・仕切る・計画する）	画一・画然・企画・区画
	㉕ カクセイの感がある。	隔 世（へだ―てる）	隔絶・隔離・遠隔
	㉖ ガイカク団体を設立。	外 郭（城壁・囲い）	輪郭・城郭
	㉗ 母校のエンカクを調べる。	沿 革（かわ・ピンと張る・改まる）	革新・革命・改革・皮革

▲【獲】獲得・捕獲　【穫】収穫　【拡】拡散・拡充　【殻】地殻・甲殻　【格】格調・格式

	例題	解答（太字の漢字の意味）	使用例
カツ 4回 9コ	㉘ 平和をカツボウする。	渇 望（かわ―く）	枯渇・渇水(カッスイ)
	㉙ 諸説をホウカツする。	包 括（くくる・ひとまとめにする）	一括・概括・総括・統括
	㉚ 県庁のカンカツ外。	管 轄（取り締まる）	所轄・直轄

▲【割】割愛・分割　【喝】恐喝・一喝　【滑】円滑・潤滑

	例題	解答（太字の漢字の意味）	使用例
カン 21回 46コ	㉛ 証人をカンモンする。	喚 問（呼ぶ・わめく）	喚起・喚声・召喚・叫喚
	㉜ 窓を開けてカンキする。	換 気（か―える）	換言・互換・置換・転換
	㉝ 最下位にカンラクする。	陥 落（おちい―る・おとしい―れる）	陥没・欠陥

例題	解答（太字の漢字の意味）	使用例
34 武装解除をカンコクする。	勧告（すすーめる）	勧業・勧善・勧誘
35 国のカンサ機関。	監査（見定める・見張る）	監修・監視・監督・監獄
36 税の減免分をカンプする。	還付（返る・巡らす）	還元・還暦・生還・返還
37 諸事情をカンアンする。	勘案（考える・突き詰める）	勘定・勘当・勘忍・勘弁
38 カンゼンと立ち向かう。	敢然（あえてする）	敢行・果敢・勇敢
39 カンショウ材を詰める。	緩衝（ゆるーい・ゆるめる）	緩慢・緩和・弛緩
40 我が国のキカン産業。	基幹（みき・中心となる部分）	幹事・根幹・主幹・幹線道路
41 カンゲンに乗せられる。	甘言（あまーい）	甘受・甘美・甘露
42 シンカンとした境内。	森閑（ひま・ゆったり静かな）	（＝深閑）・閑散・閑話
43 カンカできない事態。	看過（見る・見守る）	看護・看破・看板

▲ 【慣】慣行・慣例 【款】借款・約款 【管】管制・管轄 【環】環境・循環 【鑑】鑑識・鑑賞 【干】干拓・干渉 【肝】肝要・肝臓 【寛】寛大・寛容 【官】官能・官僚

キ 5回 39コ

例題	解答（太字の漢字の意味）	使用例
44 海外進出をキトする。	企図（くわだーてる）	企画・企業
45 コッキ心を育む。	克己（おのれ）	知己・自己（ジコ）・利己（リコ）
46 キチの事実として語る。	既知（すでーに）	既成・既製・既存
47 業界の発展にキヨする。	寄与（よーる・よーせる）	寄生・寄贈・寄付・数寄
48 人情のキビに触れる。	機微（仕組み・きざし）	機会・機知・契機・投機
49 キハツ性の油。	揮発（振るう・発散する）	発揮・指揮
50 控訴をキキャクする。	棄却（捨てる）	棄権・遺棄・投棄・破棄

▲ 【岐】多岐・分岐 【軌】軌跡・常軌 【帰】帰依・帰属 【希】希代・希釈 【祈】祈願・祈念 【基】基底・基軸 【起】起訴・躍起 【規】規範・正規 【貴】貴重・騰貴 【忌】忌避・禁忌

ギ 3回 11コ

例題	解答（太字の漢字の意味）	使用例
51 言葉をコウギに解釈する。	広義（正しい筋道・意味）	意義・奥義・狭義・名義
52 イギを正して参列する。	威儀（手本に則る・作法）	祝儀・余儀・地球儀
53 昆虫の見事なギタイ。	擬態（なぞらえる・よく似せる）	擬音・擬装・模擬・擬人法

▲ 【宜】適宜・便宜 【偽】偽善・虚偽 【疑】懐疑・疑惑 【欺】詐欺

キュウ 3回 22コ

例題	解答（太字の漢字の意味）	使用例
54 事件にゲンキュウする。	言及（およーぶ）	及第・遡及・追及・普及
55 フキュウの名作。	不朽（くーちる・すたれる）	腐朽・老朽
56 汚職をキュウダンする。	糾弾（より合わせる・よじれる）	糾合・紛糾

▲ 【窮】窮屈・困窮 【究】究極・究明 【給】給付・供給

キョ 5回 9コ

例題	解答（太字の漢字の意味）	使用例
57 マイキョに暇がない。	枚挙（あーげる・行動）	挙措・挙動・検挙・暴挙
58 法律にジュンキョする。	準拠（よる・拠り所とする）	拠点・依拠・根拠・典拠
59 人前でキョセイを張る。	虚勢（むなしい・いつわり）	虚栄・虚構・虚飾・虚無

▲ 【許】許諾・特許 【去】去就・撤去 【拒】拒絶・拒否

キョウ 5回 30コ

例題	解答（太字の漢字の意味）	使用例
60 能楽をキョウジュする。	享受（受ける・ご馳走でもてなす）	享年・享楽
61 ヘンキョウの町に住む。	辺境（さかい・状況・場所）	境遇・越境・逆境・心境
62 キョウリョウな小人物。	狭量（せまーい・せばーめる）	狭義・狭隘（キョウアイ）・偏狭

▲ 【協】協賛・協定・妥協 【脅】脅威・脅迫 【況】概況・実況

ケイ 5回 32コ

例題	解答（太字の漢字の意味）	使用例
63 全神経をケイチュウする。	傾注（かたむーく）	傾向・傾斜・傾倒・傾聴
64 ケイトウ立てて話す。	系統（つなぐ・つながり）	系図・系列・体系
65 テンケイに導かれる。	天啓（心を開く・理解させる・申す）	啓示・啓発・啓蒙

▲ 【係】係争・係数 【携】提携・連携 【契】契機・契約 【掲】掲載・掲揚 【景】景勝・借景

	例題	解答（太字の漢字の意味）	使用例
ケン 6回 33コ	66 思想がケンザイ化する。	**顕**在（明らかになる・現れる）	顕現・顕著・顕微鏡
	67 国際空港でのケンエキ。	**検**疫（調べる・取り締まる）	検挙・検索・検察・点検
	68 鉄棒でケンスイをする。	**懸**垂（か―ける・かけ離れる）	懸案・懸隔・懸賞・懸命
	69 灯籠をケンノウする。	**献**納（捧げる）	献上・献身・貢献・文献
	70 オンケン派の国会議員。	穏**健**（すこ―やか・元気）	健脚・健勝・健全・健闘
	▲ 【肩】双肩・比肩　【倹】倹約・勤倹　【建】建議・封建　【堅】堅固・堅持・中堅		
コ 6回 23コ	71 コグン奮闘する。	**孤**軍（一人ぼっち）	孤高・孤児・孤独・孤立
	72 カッコたる証拠をつかむ。	確**固**（かた―まる）	固辞・固執・頑固・凝固
	73 部員たちをコブする。	**鼓**舞（つづみ・太鼓を叩く）	鼓動・鼓膜・太鼓
	74 中学時代をカイコする。	回**顧**（かえり―みる・気を掛ける）	顧客・顧問・顧慮
	▲ 【枯】枯淡・栄枯　【呼】呼応・点呼　【雇】雇用・解雇　【誇】誇示・誇張		
ゴ 2回 13コ	75 ゴカン性のある部品。	**互**換（たが―い）	互角・交互・相互
	76 時代サクゴの校則。	錯**誤**（あやま―る）	誤解・誤差・誤算・誤認
	▲ 【護】護衛・擁護　【悟】悟性・覚悟		
コウ 11回 68コ	77 科学文明のコウザイ。	**功**罪（てがら・成し遂げた仕事）	功績・功名・功利・年功
	78 技術のコウセツを論じる。	**巧**拙（たく―み）	巧妙・技巧・巧言令色
	79 大臣をコウテツする。	**更**迭（さら・ふ―ける・変える）	更新・更改・更地（サラチ）
	80 些事にコウデイする。	**拘**泥（とらえる・とらわれる）	拘禁・拘束・拘置・拘留
	81 コウガン無恥な男。	**厚**顔（あつ―い・分厚い・丁重な）	温厚・厚遇・厚生・濃厚
	82 コウジョウ性を保つ物質。	**恒**常（常に変わらない・いつも通り）	恒久・恒星・恒例
	▲ 【好】好悪・好敵手　【攻】攻防・専攻　【綱】綱紀・要綱　【興】振興・復興　【衡】均衡・平衡　【控】控訴・控除 【効】効能・時効　【荒】荒廃・荒涼　【稿】草稿・投稿　【購】購入・購読		
コク 5回 9コ	83 近代をチョウコクする。	超**克**（勝つ・やり抜く）	克服・克明・克己（コッキ）
	84 文書にコクゲンを記す。	**刻**限（きざ―む・時の刻み）	刻印・一刻・深刻・彫刻
	85 内容がコクジしている。	**酷**似（ひどい・はなはだしい）	酷使・過酷・残酷・冷酷
	▲ 【穀】穀倉・脱穀		
サ 2回 12コ	86 犯罪をキョウサする。	教**唆**（そそのか―す）	示唆
	87 商品をサシュする。	**詐**取（いつわる・あざむく）	詐欺・詐称
	88 高速道路をフウサする。	封**鎖**（くさり・中に閉じこめる）	鎖国・鎖骨・閉鎖・連鎖
	89 地価をサテイする。	**査**定（調べる）	査察・監査・巡査・精査
	▲ 【左】左遷・証左　【佐】大佐・補佐		
サイ 4回 27コ	90 敵をフンサイする。	粉**砕**（くだ―く）	砕石・砕氷船
	91 借金をカンサイする。	完**済**（す―む・救う・不足を補う）	救済・決済・返済
	92 セイサイを欠く。	精**彩**（いろど―る）	（＝生彩）・彩色・多彩・迷彩
	93 テイサイを気にする。	体**裁**（た―つ・さば―く・形）	裁断・裁縫・裁量・制裁
	94 市がシュサイする音楽会。	主**催**（もよお―す・うながす）	催促・催眠・開催
	▲ 【宰】宰領・主宰　【栽】栽培・盆栽　【債】債務・負債　【細】細心・詳細　【採】採算・採決		
サク 3回 10コ	95 夢と現実がコウサクする。	交**錯**（まじる・あやまる）	錯誤・錯乱・錯覚（サッカク）
	96 人生の意味をシサクする。	思**索**（探し求める・離れる）	索引・索漠・検索・詮索・捜索
	97 利益をサクシュする。	**搾**取（しぼ―る）	搾乳・圧搾
	98 記録をサクジョする。	**削**除（けず―る）	削減・掘削・添削
	▲ 【策】策略・画策		

読み	例題	解答（太字の漢字の意味）	使用例
シ 2回 50コ	99 法令がシコウされる。	**施**行（ほどこ一す）	施策・施政・施設・実施
	100 シカクを送り込む。	**刺**客（さ一す・弱みを攻める）	刺激・風刺・名刺
	101 シト不明金。	**使**途（つか一う）	使役・駆使・酷使

▲【旨】趣旨・論旨　【賜】賜杯・恩賜　【支】支持・支障　【指】屈指・指針

読み	例題	解答（太字の漢字の意味）	使用例
ジ 1回 22コ	102 文章のソジを練る。	措**辞**（や一める・言葉）	辞令・固辞・謝辞・修辞・世辞
	103 ジダン金を支払う。	**示**談（しめ一す）	開示・啓示・顕示・明示
	104 ジヒ深い心を持つ。	**慈**悲（いつく一しむ・情け深い）	慈愛・慈恵・慈善・慈母
	105 状況をチクジ報告する。	逐**次**（つ一ぐ・次・順序）	次元・順次・席次・漸次

▲【滋】滋養・滋味　【時】時宜・暫時　【似】酷似・相似

読み	例題	解答（太字の漢字の意味）	使用例
シッ 3回 9コ	106 シッコクの闇。	**漆**黒（うるし・黒い）	漆器・乾漆（カンシツ）
	107 重いシッペイに苦しむ。	**疾**病（速い・急性の病気）	疾患・疾走・疾風

▲【執】執行・執筆・固執（コシツ）・確執（カクシツ）

読み	例題	解答（太字の漢字の意味）	使用例
シュウ 2回 26コ	108 モウシュウにとらわれる。	妄**執**（と一る・とらえる）	執着・執念・我執
	109 アイシュウが漂う。	哀**愁**（うれ一い・寂しがる・侘しさ）	郷愁・愁傷・憂愁
	110 シュウブンの絶えない人。	**醜**聞（みにく一い）	醜悪・醜態・美醜

▲【周】周知・周到　【酬】応酬・報酬　【修】監修・補修　【収】徴収・収奪　【秀】秀逸　【襲】世襲

読み	例題	解答（太字の漢字の意味）	使用例
ジュウ 2回 12コ	111 カイジュウ策を講じる。	懐**柔**（やわ一らか・やわらげる）	柔軟・優柔・柔和（ニュウワ）
	112 建設業にジュウジする。	**従**事（したが一う）	従軍・従順・従属

▲【縦】縦横・操縦　【渋】渋滞・苦渋　【充】充満・拡充

読み	例題	解答（太字の漢字の意味）	使用例
ジョ 1回 7コ	113 扶養コウジョの申請。	控**除**（のぞ一く）	除外・除去・排除・免除・除夜
	114 不安をジョチョウさせる。	**助**長（たす一ける・力を貸す）	助言・援助・扶助・補助
	115 秋の生存者ジョクン。	**叙**勲（述べる・序列に組み込む）	叙位・叙景・叙事・叙述・叙情

▲【如】欠如・突如・如実（ニョジツ）　【序】序章・秩序

読み	例題	解答（太字の漢字の意味）	使用例
ショウ 6回 67コ	116 残高をショウカイする。	**照**会（て一る・問い合わせる）	照合・照準・対照的
	117 快くショウダクする。	**承**諾（うけたまわ一る）	承知・承認・継承
	118 年齢フショウの人物。	不**詳**（くわ一しい・つまびらか）	詳細・詳報・詳述・未詳
	119 ショウジを破る。	**障**子（さわ一る・邪魔するもの）	障害・故障・支障・保障
	120 国の災害ホショウ。	補**償**（つぐな一う）	償却・償還・代償・賠償・弁償
	121 イショウを凝らした茶室。	意**匠**（たくみ・技術の高い人）	巨匠・師匠
	122 ショウソウ感にかられる。	**焦**燥（こ一げる・あせ一る）	焦土・焦眉・焦点
	123 信用金庫のショウガイ係。	**渉**外（わたる・関わる）	干渉・交渉・渉猟
	124 実権をショウアクする。	**掌**握（たなごころ・手のひら）	掌中・合掌・車掌

▲【称】称号・敬称・対称　【祥】発祥・不祥事　【招】招待・招致　【召】召還・召喚　【相】相伴・宰相
【尚】高尚・早尚　【抄】抄本・抄訳　【彰】顕彰・表彰　【肖像】肖像・不肖

読み	例題	解答（太字の漢字の意味）	使用例
ジョウ 3回 24コ	125 キジョウな笑顔を見せる。	気**丈**（たけ・背丈などが高い）	丈夫・頑丈
	126 ジョウマンな文章。	**冗**漫（あまる・たるむ・無駄が出る）	冗談・冗長
	127 ヨジョウ作物を処分する。	余**剰**（あまり・そのうえに・残る）	過剰
	128 やむなくジョウホする。	**譲**歩（ゆず一る・ひかえめな）	譲渡・譲与・委譲
	129 ジョウセキ通りに打つ。	**定**石（さだ一める）	定規・勘定・必定
	130 消耗品はジョウビする。	**常**備（つね・長く変わらない）	異常・無常・尋常

▲【浄】洗浄・不浄　【壌】土壌・豊壌　【錠】錠剤・施錠

	例題	解答（太字の漢字の意味）	使用例
ショク 4回 10コ	131 資本をゾウショクする。	増 **殖**（ふーえる）	殖産・生殖・繁殖・養殖
	132 ゴショクを修正する。	誤 **植**（うーえる・定着させる）	植樹・植林・移植
	133 キョショクだらけの生活。	虚 **飾**（かざーる・綺麗にする）	修飾・装飾・服飾・粉飾
	134 法律にテイショクする。	抵 **触**（ふーれる・さわーる）	触媒・触発・接触・触覚・触手

▲ 【嘱】委嘱・嘱託　【職】辞職・就職

	例題	解答（太字の漢字の意味）	使用例
シン 4回 31コ	135 境内のシンゲンな雰囲気。	**森** 厳（もり・こんもりと暗い）	森閑・森林
	136 シンプクの最大値を測る。	**振** 幅（ふーる・ふーるう）	振動・振興・不振
	137 シンサンをなめる。	**辛** 酸（からーい・つらい）	辛苦・辛勝・辛抱
	138 岩をシンショクする。	**浸** 食（ひたーす・しみこむ）	浸水・浸透
	139 領空をシンパンする。	**侵** 犯（おかーす・じわじわ入りこむ）	侵害・侵入・侵略・不可侵
	140 フシンな点の多い供述。	不 **審**（細かく見極める・調べる）	審議・審査・審判・陪審

▲ 【慎】慎重・謹慎　【申】申告・申請　【針】針路・針葉樹

	例題	解答（太字の漢字の意味）	使用例
ジン 4回 11コ	141 復興にジンリョクする。	**尽** 力（つーくす）	無尽蔵・理不尽
	142 ジンソクな事務処理。	**迅** 速（はやい）	迅雷・奮迅
	143 コウジンに存じます。	幸 **甚**（はなはーだしい）	甚大・甚句

▲ 【陣】陣痛・退陣

	例題	解答（太字の漢字の意味）	使用例
スイ 3回 14コ	144 キッスイの江戸っ子。	生 **粋**（混じりけがないさま）	粋人・純粋・抜粋・無粋
	145 二人の仲をジャスイする。	邪 **推**（おーす・おしはかる）	推移・推奨・推薦・推挙・推理
	146 古美術にシンスイする。	心 **酔**（よーう・正気をなくす）	酔狂・麻酔
	147 任務をカンスイする。	完 **遂**（とーげる）	遂行・未遂

▲ 【垂】懸垂・胃下垂　【帥】元帥・統帥　【衰】衰微・盛衰

	例題	解答（太字の漢字の意味）	使用例
セイ 3回 35コ	148 敵をセイバツする。	**征** 伐（まっしぐらに進む）	征服・遠征・出征
	149 反対派をシュクセイする。	粛 **清**（きよーい・けがれなく澄む）	清潔・清澄・清涼・清貧
	150 自己をナイセイする。	内 **省**（かえりーみる・はぶーく）	帰省・反省・省略（ショウリャク）
	151 渡航許可をシンセイする。	申 **請**（こーう・うーける）	請願・請求・普請（フシン）

▲ 【斉】斉唱・一斉　【凄】凄絶・凄惨　【逝】逝去・急逝　【精】精米・精密　【世】処世・時世

	例題	解答（太字の漢字の意味）	使用例
セキ 0回 17コ	152 綱引きでセキハイする。	**惜** 敗（おーしい）	惜別・哀惜・痛惜
	153 ルイセキ赤字が膨らむ。	累 **積**（つーむ・つーもる）	積載・堆積・蓄積・積乱雲
	154 ボウセキ業を営む。	紡 **績**（つむぐ・良い結果）	業績・功績・実績

▲ 【責】責務・職責　【跡】遺跡・追跡　【籍】本籍・書籍　【析】析出・解析　【斥】排斥・斥候（セッコウ）

	例題	解答（太字の漢字の意味）	使用例
セツ（セッ） 6回 12コ	155 セツレツな文章。	**拙** 劣（つたない・自己を謙遜する）	拙速・巧拙・稚拙
	156 自然のセツリに従う。	**摂** 理（とる・そろえて持つ・はさまる）	摂取・摂政・摂生
	157 セッチュウ案を提示する。	**折** 衷（おーる・おーれる）	折衝・折半・曲折・屈折・挫折
	158 金属をヨウセツする。	溶 **接**（つーぐ・まじわる・うける）	接待・応接・隣接
	159 セッソウのない人。	**節** 操（ふし・区切り・節目で抑える）	節約・節減・節句・貞節

▲ 【切】切迫・懇切　【設】設備・敷設　【雪】雪辱

	例題	解答（太字の漢字の意味）	使用例
セン 5回 31コ	160 幾多のヘンセンを経る。	変 **遷**（うつる・うつす）	遷移・遷都・左遷
	161 センサイな乙女心。	**繊** 細（ほそい・細かい）	繊維・繊毛・化繊
	162 詩作にチンセンする。	沈 **潜**（ひそーむ・もぐーる）	潜在・潜伏・潜水・潜入
	163 下宿をシュウセンする。	周 **旋**（めぐる・間で仲をとりもつ）	旋回・旋風・旋律・凱旋・螺旋

▲ 【染】染料・汚染　【詮】詮索・所詮　【浅】浅学・浅薄　【泉】源泉　【先】率先　【薦】推薦　【羨】羨望

	例題	解答(太字の漢字の意味)	使用例
ソ 7回 15コ	164 クウソな議論が続く。	空 **疎**(うと―い・まばら)	疎遠・疎開・疎外・過疎
	165 実物大のソゾウをつくる。	**塑** 像(土をけずる・粘土の像)	彫塑・可塑性
	166 万全のソチをとる。	**措** 置(おく・手をくだす)	挙措・措辞・措定
	167 精神分析のシソ。	始 **祖**(先祖・はじめ)	祖先・祖父・開祖・元祖
	168 ソヤな振る舞いをする。	**粗** 野(あら―い・粗末な)	粗悪・粗雑・粗品・粗食・粗密

▲【礎】礎石・定礎 【租】租税・地租 【阻】阻止 【素】平素

	例題	解答	使用例
ソウ 6回 39コ	169 ジョウソウ教育。	情 **操**(あやつ―る・たぐり寄せる)	操縦・節操・体操・貞操
	170 ソウケンに担う。	**双** 肩(ふたつ並んだもの・匹敵)	双方・無双・双生児
	171 ソウケンな肉体。	**壮** 健(元気・勇ましく立派)	壮観・壮挙・壮図(ソウト)・強壮
	172 ソウワが盛りこまれる。	**挿** 話(さ―す・さしはさむ)	挿入・挿絵(サシエ)
	173 在庫をイッソウする。	一 **掃**(は―く・きれいにする)	掃除・清掃

▲【荘】荘厳・荘重(ソウチョウ) 【装】装置・舗装 【燥】乾燥・焦燥 【捜】捜査・捜索

	例題	解答	使用例
ダ 3回 7コ	174 ダトウな判断。	**妥** 当(安らかに落ち着いている)	妥協・妥結
	175 ダミンをむさぼる。	**惰** 眠(おこたる・なまける)	怠惰・惰性

▲【駄】駄菓子・駄作 【堕】堕落・堕胎

	例題	解答	使用例
タイ 6回 22コ	176 授業料をタイノウする。	**滞** 納(とどこお―る)	延滞・渋滞・沈滞
	177 職務タイマンな社員。	**怠** 慢(おこた―る・なま―ける)	怠惰・倦怠
	178 新しい文学のタイドウ。	**胎** 動(はらご・はらむ)	胎児・受胎・胚胎・換骨奪胎
	179 上司にシンタイを伺う。	進 **退**(しりぞ―く)	退却・退屈・撃退

▲【帯】携帯・連帯 【待】待遇・待機 【耐】耐久・耐性 【泰】泰然・安泰

	例題	解答	使用例
タン 9回 17コ	180 タンテキにまとめる。	**端** 的(はし・はた・物事の一部分)	端正(整)・端緒・極端・発端
	181 家をタンポにいれる。	**担** 保(かつ―ぐ・にな―う)	担架・担当・荷担・負担
	182 相手のコンタンを見ぬく。	魂 **胆**(きも・本心・勇気や決断力)	大胆・落胆・肝胆相照らす
	183 タンソクをもらす。	**嘆** 息(なげ―く)	嘆願・詠嘆・慨嘆・感嘆・驚嘆
	184 コタンの境地に至る。	枯 **淡**(あわ―い・あっさりしたさま)	淡彩・淡水・淡泊・濃淡・冷淡

▲【探】探求・探究 【短】短縮・短絡 【鍛】鍛錬・鍛冶(カジ)

	例題	解答	使用例
チ 2回 13コ	185 美のキョクチ。	極 **致**(いた―る)	一致・合致・招致・誘致
	186 チセツな行為を繰りかえす。	**稚** 拙(おさない・若い)	稚魚・幼稚

▲【痴】痴情・愚痴 【恥】恥辱・無恥 【緻】緻密・精緻

	例題	解答	使用例
チク 3回 5コ	187 雑誌をチクジ刊行する。	**逐** 次(後を追う・追い払う)	逐一・逐語・角逐・駆逐
	188 ガンチクに富む文章。	含 **蓄**(たくわ―える)	蓄積・貯蓄・備蓄

▲【竹】爆竹・竹馬 【畜】畜産・牧畜 【築】建築・構築

	例題	解答	使用例
チョウ 5回 28コ	189 ジチョウ気味につぶやく。	自 **嘲**(あざける)	嘲笑
	190 最近のフウチョウ。	風 **潮**(あさしお・世の情勢)	潮流・干潮・思潮・満潮
	191 チョウメイな秋空。	**澄** 明(す―む)	清澄

▲【弔】弔問・弔辞 【兆】兆候・前兆 【眺】眺望 【釣】釣果

	例題	解答	使用例
テイ 7回 24コ	192 業務テイケイする。	**提** 携(さ―げる・ひっぱる)	提起・提供・提言・提唱・前提
	193 文化のキテイにあるもの。	基 **底**(そこ)	底辺・徹底・到底・払底
	194 法律にテイショクする。	**抵** 触(いたる・あたる・さからう)	抵抗・大抵

▲【呈】贈呈・謹呈 【偵】内偵・偵察 【締】締結 【諦】諦念・諦観

	例題	解答（太字の漢字の意味）	使用例
テキ 2回 6コ	195 違反者をテキハツする。	**摘**発（つ―む）	摘出・摘要・指摘
	196 テキギの処置。	**適**宜（心地よい・ぴたりと合う）	適応・適切・適度・適当・快適
	▲【滴】点滴・水滴　【敵】敵意・匹敵		
トウ 10回 41コ	197 シュウトウに準備する。	周**到**（いたる・出し尽くす）	到着・到底・到達・殺到
	198 万葉集にケイトウする。	傾**倒**（たお―れる・さかさまになる）	倒産・倒置・圧倒・罵倒・卒倒
	199 方針をトウシュウする。	**踏**襲（ふ―む・ふ―まえる）	踏破・舞踏・高踏的
	200 父母のクントウを受ける。	薫**陶**（陶器・教化する・打ち解ける）	陶器・陶酔・陶冶（トウヤ）
	201 地価がトウキする。	**騰**貴（（馬が）跳ね上がる）	急騰・沸騰・暴騰・奔騰
	▲【討】検討・討伐　【唐】唐突・荒唐無稽		
ハイ 3回 13コ	202 抵抗勢力をハイセキする。	**排**斥（左右に開く・押しのけて除く）	排気・排除・排水・排他的
	203 核兵器のハイゼツを願う。	**廃**絶（すた―れる・やめる）	荒廃・廃止・撤廃（テッパイ）
	▲【拝】拝見・崇拝・参拝（サンパイ）　【背】背信・背任　【敗】敗北・腐敗　【輩】輩出・同輩		
バイ 3回 8コ	204 取引をバイカイする。	**媒**介（仲立ち・二つを結合させる）	媒体・媒酌・触媒
	205 細胞をバイヨウする。	**培**養（つちか―う）	栽培
	▲【陪】陪審・陪席　【賠】賠償		
ハク 1回 9コ	206 ハクシンの演技。	**迫**真（せま―る）	迫害・迫力・圧迫（アッパク）・脅迫・切迫（セッパク）
	207 作業にハクシャをかける。	**拍**車（手を叩く・リズムをとる）	拍手・拍子（ヒョウシ）
	▲【伯】伯仲・画伯　【剝】剝離・剝奪・剝製		
ハン 4回 25コ	208 雑草がハンモする。	**繁**茂（しげる・にぎやかなさま）	繁栄・繁忙・繁華街
	209 ハンザツな手続き。	**煩**雑（わずら―わしい）	煩瑣（ハンサ）・煩悶・煩悩（ボンノウ）
	▲【判】判然・判定　【伴】同伴・随伴・伴奏（バンソウ）　【販】販売・販路　【頒】頒布　【汎】汎用		
ヒ 7回 21コ	210 ヒガの思想を比較する。	**彼**我（かれ・向こうの・あの）	彼岸
	211 ヒキンな例。	**卑**近（いやーしい・身分が低い）	卑下・卑屈・卑小
	212 徴兵をキヒする。	忌**避**（さ―ける）	避難・逃避・避暑・不可避
	▲【疲】疲労・疲弊　【被】被服・被告　【秘】秘密・秘匿　【碑】碑銘・碑文　【罷】罷業・罷免		
フ 6回 25コ	213 博士号をフヨする。	**付**与（つ―ける・相手に渡す）	給付・交付・寄付
	214 事業再建にフシンする。	**腐**心（くさ―る・心を痛める）	腐敗・腐乱・陳腐（チンプ）
	215 スマホのフキュウ率。	**普**及（あまねし・広く行きわたる）	普遍・普請
	▲【譜】譜面・系譜　【布】布陣・公布　【扶】扶助・扶養		
フク（ブク） 0回 9コ	216 フクセンを敷く。	**伏**線（ふ―せる）	伏兵・起伏・雌伏・潜伏
	217 道路のフクインを測る。	**幅**員（はば）	振幅・全幅
	▲【復】報復・往復　【複】複製・重複　【覆】覆面・覆水		
フン 3回 8コ	218 フンショク決算を見破る。	**粉**飾（こな・こなごなにする）	粉末・粉砕・粉骨砕身
	219 政局がフンキュウする。	**紛**糾（まぎ―れる・まぎ―らわしい）	紛失・紛争・内紛
	220 連敗にフンキする。	**奮**起（ふる―う・気合いをこめる）	奮発・興奮
	221 差別にフンガイする。	**憤**慨（いきどお―る）	憤怒・義憤・発憤（はっぷん）
	▲【噴】噴火・噴出　【墳】古墳・墳墓		
ヘン 1回 7コ	222 ヘンコウした思想。	**偏**向（かたよ―る）	偏見・偏食・偏差・偏在
	223 恋愛ヘンレキ。	**遍**歴（あまねし・広く行きわたる）	普遍・遍路・遍在
	▲【編】編成・編集　【辺】周辺・辺境　【片】破片・断片（ダンペン）		

	例題	解答（太字の漢字の意味）	使用例
ボ 1回 7コ	224 ボジョウを抱く。	慕情（したーう）	敬慕・思慕
	225 ハクボの迫る甲子園球場。	薄暮（くーれる）	暮春・歳暮・野暮・朝三暮四
	226 ゲンボと照合する。	原簿（帳面）	簿記・名簿・帳簿
	▲【募】募金・応募　【墓】墓地・墓穴		
ホウ 2回 24コ	227 全体をホウカツして扱う。	包括（つつーむ）	包囲・包含・内包・包容力
	228 負傷者をカイホウする。	介抱（だ(いだ)ーく・かかーえる）	抱負・抱擁・辛抱（シンボウ）
	▲【胞】胞子・同胞　【奉】奉仕・奉納　【俸】俸給　【飽】飽和・飽食　【褒】褒章・褒美　【縫】縫合・縫製		
ボウ 8回 23コ	229 店がハンボウ期を迎える。	繁忙（いそがーしい）	忙殺・多忙
	230 綿と化繊のコンボウ。	混紡（つむーぐ）	紡績・紡錘・紡織
	231 ロボウに咲く小さな花。	路傍（かたわーら）	傍観・傍聴・傍証・傍若無人
	232 若者のムボウな運転。	無謀（はかーる・悪事を企む）	謀略・首謀者
	233 ボウダイな情報量。	膨大（ふくーらむ）	膨張・膨満
	▲【冒】冒険・感冒　【暴】暴虐・横暴　【亡】亡命・存亡　【貌】美貌・変貌		
モウ 1回 9コ	234 メイモウを打ち破る。	迷妄（みだり・でたらめ）	妄言・妄信・妄想
	235 権威にモウジュウする。	盲従（見えない・道理がわからない）	盲点・盲目
	▲【猛】猛然・勇猛　【網】網膜・網羅		
ユウ 2回 17コ	236 ユウチョウに構える。	悠長（はるか遠い・のんびり）	悠然・悠悠
	237 犯罪をユウハツする。	誘発（さそーう）	誘拐・誘致・誘惑・誘導・勧誘
	238 諸国とのユウワを図る。	融和（とける・滑らかに通る）	融解・融資・金融
	▲【幽】幽玄・幽谷　【遊】遊戯・浮遊　【雄】雄弁・雌雄　【憂】憂愁・憂慮		
ヨウ 5回 22コ	239 ヨクヨウのない話し方。	抑揚（あーげる）	掲揚・高揚・意気揚々
	240 新人候補をヨウリツする。	擁立（抱きかかえる・守る）	擁護・抱擁
	241 チュウヨウを得た意見。	中庸（普通の・一般に通じる）	凡庸
	▲【揺】動揺・揺籃（ヨウラン）　【謡】謡曲・民謡　【妖】妖怪・妖艶		
リョウ 5回 16コ	242 文献をショウリョウする。	渉猟（かりをする・あさる）	猟師・狩猟
	243 金品をジュリョウする。	受領（おさめる・受け取る・土地）	領有・横領・綱領・宰領・要領
	244 昔のドウリョウに会う。	同僚（同列に並ぶ友達、仲間）	僚友・閣僚・官僚・幕僚
	▲【陵】陵墓・丘陵　【寮】寮生・寮母　【療】療養・治療		
レイ 1回 12コ	245 早起きをレイコウする。	励行（はげーむ）	激励・奨励・精励・督励
	246 レイサイ企業を経営する。	零細（落ちる・落ちぶれる・小さい）	零下・零落
	247 大国にレイゾクする。	隷属（つける・したがう・しもべ）	隷書・隷従
	▲【冷】冷却・冷淡　【霊】霊魂・霊長類　【齢】樹齢・妙齢　【麗】淡麗・美麗		
ロウ 0回 12コ	248 運命にホンロウされる。	翻弄（もてあそぶ）	玩弄・愚弄・嘲弄
	249 諸国をルロウする。	流浪（波・型にはまっていない）	浪曲・浪費・波浪・放浪
	250 砂上のロウカク。	楼閣（高くて大きい建物・やぐら）	鐘楼・望楼・摩天楼
	▲【朗】朗読・明朗　【廊】回廊・画廊　【籠】籠城・籠居		

語句	意味
① アイデンティティ	自己同一性。(自分)**らしさ**。**存在の根拠**となるもの。　※《特徴》①文化や歴史を背負う。(日本人・関西人など)/②他者との関係で成立する。(先生・生徒など)
② アイロニー	**皮肉**。**風刺**。反語。「―に満ちた作品」
③ アナクロニズム	**時代遅れ**。時代錯誤。「―な歴史観」
④ アナログ	**連続した数量**(例えば時間)**を、他の連続した数量**(例えば角度・砂の量)**で表示する**方式。　※⇔【デジタル】
⑤ アナロジー	類推。類比。未知の状況を、既知の類似した状況から推測すること。また、複雑なものごとを、同じ特徴を持った、もっと身近な物事に例えて説明すること。
⑥ アニミズム	**精霊崇拝**。自然界の事象に霊力が宿ると考える原始信仰。※日本の神道は、アニミズム的な思想背景を持つ。
⑦ アプリオリ	**先天的**。持って生まれたもの。　※⇔アポステリオリ
⑧ 亜流(ありゅう)	**一流の真似**で、独創性がないこと。「彼は―に過ぎない」
⑨ 依拠(いきょ)	先例や基準を**拠り所とする**こと。「先例に―する」
⑩ 意匠(いしょう)	**趣向**。工夫。デザイン。「―を凝らした茶室」
⑪ 一義的(いちぎてき)	①**一つだけの意味**しかないさま。(⇔多義的)/②**最も重要な意味**であるさま。(⇔二義的)　※【義】=意味
⑫ イデア	①**観念**。理念。/②[哲学]事物を存在たらしめる**真の実在**。
⑬ イデオロギー	**政治・社会的思想**。人間の行動を決定する世界観や観念体系。
⑭ いぶかしい	【訝しい】**あやしい**。疑わしい。「彼の行動は、どこか―」
⑮ 因襲〔因習〕(いんしゅう)	古くから続く、**悪いしきたり**。「―を打破する」
⑯ 隠喩(いんゆ)	メタファー。比喩独特の言い回し(**まるで・ようだ・みたいな・ごとしなど**)**を使わない比喩**。　※「人生はまるで旅のようだ(直喩)」/「人生は旅である(隠喩)」
⑰ うそぶく	【嘯く】①とぼけて**知らないふりをする**。「平気な顔で―」/②偉そうに大きなことを言う。　※語源は「口笛を吹く」こと
⑱ 演繹(えんえき)	**一つの大前提から、個々の判断を導きだす**思考法。　※[すべての生物は、いつか必ず死ぬ(大前提)]→「宮下先生も、いつか必ず死ぬ(判断)」　※⇔【帰納】
⑲ 厭世主義(えんせいしゅぎ)	ペシミズム。物事を**悲観的**に考える立場。人生には**生きるだけの価値がない**とする考え。　※【厭】=飽きる・嫌になる
⑳ 諧謔(かいぎゃく)	**ユーモア**。気のきいた面白い言葉。「―の精神」
㉑ 邂逅(かいこう)	**めぐりあい**。思いがけない出会い。「10年ぶりに―する」
㉒ 乖離(かいり)	**そむき離れる**こと。「人心から―した悪政」
㉓ カオス	**混沌**。物事が秩序なく入り混じり、流動的な状態。※⇔【コスモス】=物事が整然とまとまっている世界・宇宙

語句	意味
㉔ 画一的（かくいつてき）	個性や特色がなく、**すべてが一様であるさま**。型にはまっているさま。「若者の一なファッション」
㉕ 可塑性（かそせい）	柔軟に**変形できる**性質。外力を取りさっても、ゆがみが残る性質。「子供の頭脳は一が高い」 ※【塑】＝粘土（を削る）
㉖ カタルシス	精神の**浄化作用**。 ※［哲学］悲劇を鑑賞して涙を流したあと、心が少し軽快になる作用（アリストテレスによる）
㉗ 醸す（かもす）	ある状態を、**しだいに生みだしていく**こと。「物議を一」
㉘ 甘受（かんじゅ）	**甘んじて受けいれる**こと。やむを得ないものとして、仕方なく受けいれること。「不利な条件を一する」
㉙ 感傷的（かんしょうてき）	センチメンタル。悲哀の感情に動かされ、**心がちょっぴり痛む**さま。「死んだ祖母を思いだし、一になる」
㉚ 陥穽（かんせい）	**落とし穴**。人をおとしいれる策略。わな。「敵の一にはまる」
㉛ 帰依（きえ）	**信じて力にすがる**こと。「仏道に一する」
㉜ 気概（きがい）	困難にもくじけない**強い意志**。「一のある人」
㉝ 気が置けない	気の置けない。遠慮や緊張がいらず、**親しみやすい**。「一仲間と朝まで飲む」
㉞ 既成（きせい）	**すでに成り立っている**こと。「一概念を疑え」
㉟ 機知〔機智〕（きち）	ウィット。その時と場合に応じて**とっさに働く知恵**。「一に富む会話」 ※【機】＝きっかけ・タイミング
㊱ 帰納（きのう）	**個々の事例から、一つの普遍的真理を導きだす**思考法。 ※「人は死ぬ（事例A）」「犬も死ぬ（事例B）」「昆布も死ぬ（事例C）」➡「すべての生物は死ぬ（真理）」 ※⇔【演繹】
㊲ 機微（きび）	捉えがたい**微妙な事情や趣**。「人情の一に触れる」
㊳ 逆説（ぎゃくせつ）	パラドックス。**矛盾しているように見えて、じつは真理を突いている説**。 ※［Aであればあるほど（かえって・逆に・皮肉にも・同時に）B］といった構造になる。
㊴ 糾弾（きゅうだん）	**罪状を問いただして非難する**こと。「汚職を一する」 ※【糾】＝よじれを正す
㊵ 夾雑物（きょうざつぶつ）	ある物のなかに**混じりこんでいる余計なもの**。「一を取り除く」
㊶ 享受（きょうじゅ）	**受け取り味わう**こと。「自然の恵みを一する」 ※【享】＝受ける
㊷ 虚構（きょこう）	フィクション。人間による**作りごと**。「国家制度は一である」
㊸ 挙措（きょそ）	**立ち居振る舞い**。「一を失う（＝取り乱した行いをする）」
㊹ 奇を衒う（きをてらう）	**一風変わったことをしてみせる**こと。「一・った小説」
㊺ 偶像（ぐうぞう）	**信仰の対象**とする、神仏をかたどった像。転じて、熱狂的な人気や崇拝の対象となるもの。「英雄を一視する」
㊻ 形骸（けいがい）	形だけを残して、**本質的な意味や価値を失ったもの**。「あらゆる制度は、時間と共に一化していく」

語句	意味
47 契機(けいき)	きっかけ。動機。「言論弾圧を一に、暴動が起こる」
48 形而上(けいじじょう)	形を超越し、感覚を通してはその存在を知ることができないもの。抽象的・観念的なもの。　※【形而上学】＝神学・哲学
49 稀有〔希有〕(けう)	めったにないこと。「一な出来事」　※【稀】＝まれ
50 衒学(げんがく)	ペダントリー。学問や知識を誇り、人にひけらかすこと。
51 顕在(けんざい)	目に見える形にあらわれて存在すること。「潜在意識が一化する」　※【顕】＝あきらか・あらわす
52 恍惚(こうこつ)	心を奪われて、うっとりするさま。「一として聞き惚れる」
53 構造主義(こうぞうしゅぎ)	人間の行動を、社会や文化の潜在的な構造に規定されるものとして捉える現代思想。　※例えば「年賀状を出す」習慣は、個人の主体的行動ではなく、文化構造に規定された行動である。
54 拘泥(こうでい)	こだわること。「勝ち負けに一する」　※【拘】＝とらわれる
55 高踏(こうとう)	世俗を抜けだし、高い次元に身を置くこと。 ※【高踏派】＝森鷗外・夏目漱石
56 姑息(こそく)	一時の間に合わせ。その場逃れ。「一な手段」
57 語弊(ごへい)	誤解を招く言い方による弊害。「一があるかもしれません」
58 権化(ごんげ)	神仏、あるいは思想や精神が、具体的な姿となって現れたもの。化身。「悪の一」
59 コンテクスト	文脈。前後関係。背景。「太平洋戦争を一から読みとる」
60 暫時(ざんじ)	しばらく。少しの間。「一の猶予」　※【暫】＝しばら・く
61 恣意(しい)	勝手気ままな心。適当な思いつき。「一的な解釈」
62 自我(じが)	エゴ。認識・意思・行動などの主体として、外界や他人と区別されて意識される自分。「近代以前の日本において、一の意識は集団のなかに埋没していた」
63 忸怩(じくじ)	反省して、深く恥じ入るさま。「内心一たるものがある」
64 示唆(しさ)	ほのめかすこと。それとなくヒントを与えること。暗示。「総理大臣が、内閣の解散を一する」
65 市井(しせい)	人家の多く集まっているところ。まち。ちまた。「一の人(＝庶民)」　※井戸の周りに人が集まり、市ができたことから
66 桎梏(しっこく)	自由を束縛するもの。「彼氏の熱烈な愛情が一となる」 ※【桎】＝足かせ／【梏】＝手かせ
67 シニカル	皮肉な態度をとるさま。冷笑的。「一な態度」
68 修辞法(しゅうじほう)	レトリック。言葉の表現技法。措辞。　※【辞】＝ことば
69 趣向(しゅこう)	趣きや面白みを出すための工夫。「一を凝らした舞台装置」
70 出自(しゅつじ)	出どころ。生まれ。「語の一を明らかにする」
71 逡巡(しゅんじゅん)	ぐずぐずとためらうこと。「一して、好機を逃した」

語句	意味
(72) 止揚(しよう)	アウフヘーベン。**矛盾・対立する二つの命題**を、**高いレベルで統一すること**。弁証法。　※「食べたい(正)」+「痩せたい(反)」➡「アイスを食べながらジョギング(合)」
(73) 定石(じょうせき)	物事を処理するときに最善と考えられている、**決まった方法や手段**。「一通りに捜査する」　※もとは囲碁の用語
(74) 象徴(しょうちょう)	シンボル。形のない**抽象的観念や思想**を、**具体的な事物や形象に託して表現**すること。また、表現された物。 ※［平和➡ハト］［愛➡ハートマーク］［情熱➡赤］など
(75) 所作(しょさ)	**身のこなし**。しぐさ。動作。「舞妓さんの美しい一」
(76) 所産(しょさん)	あることの成果として**生みだされたもの**。「長年の努力の一」
(77) 所与(しょよ)	**はじめから与えられている条件**や前提。「不況を一の条件として受け止め、努力する」
(78) 心象(しんしょう)	**イメージ**。記憶・感覚などに基づいて心のなかに描き出される姿や像。「一風景」
(79) シンメトリー	**左右対称**。「タージ・マハルは、一の美しい建築である」
(80) 推敲(すいこう)	詩や文章の**字句を何度も練り直す**こと。　※唐の詩人賈島(かとう)が、自作の詩句で、門を「推(おす)」にするか「敲(たたく)」にするかで非常に思い迷ったという故事から。
(81) 趨勢(すうせい)	**動向**。なりゆき。物事がある方向へ進んでいこうとする勢い。「時代の一に従う」
(82) 数寄〔数奇〕(すき)	茶の湯、生け花、和歌など、**風流・風雅を好む**こと。「一を凝らす」　※【数奇(すうき)】=不運・不遇
(83) ステレオタイプ	(ステロタイプ)考え方や表現が**型にはまっていて新鮮味がない**こと。紋切り型。「一な見解」　※もとは、印刷の鉛版
(84) 世間(せけん)	情的につながる、**身近な人々の集まり**。また、そこから醸成される規範や雰囲気。　※【社会】=政治や経済のシステムによって関連する、個人の集まり。
(85) 折衷(せっちゅう)	両方の**良いところをミックスさせる**こと。「和洋一の住宅」
(86) 刹那(せつな)	**瞬間**。きわめて短い時間。　※【刹那主義】=過去や将来を考えず、今さえ充実していれば良いとする考え方。
(87) 摂理(せつり)	**万物を治め支配している法則**。「自然の一に従う」
(88) 前衛(ぜんえい)	アバンギャルド。芸術活動で、既成の観念や形式を壊し、**先進的・実験的な創作**を試みること。「一芸術家」
(89) 漸次(ぜんじ)	**しだいに**。だんだんと。「景気が一上昇する」 ※【漸】=ようや・く
(90) 煽動〔扇動〕(せんどう)	アジテーション。人の**気持ちをあおり立てて**、ある行動を起こすように仕向けること。「群衆を一する」
(91) 造化(ぞうか)	天地万物の創造主。また、創りだされた**自然**・天地・宇宙。

語句	意味
92 造詣(ぞうけい)	学問・芸術・技術など、ある分野について**広い知識と深い理解を持っている**こと。「伝統芸能に一が深い」
93 相克〔相剋〕(そうこく)	対立する二つのものが、**互いに勝とうとして争う**こと。「理想と現実の一」 ※【克】=勝つ
94 相殺(そうさい)	**プラスマイナス、ゼロにする**こと。「借金を一する」「二人の魅力が一されてしまう」
95 齟齬(そご)	**くいちがい**。ものごとがうまくかみ合わないこと。「感情に一をきたす」 ※上下の歯が合わない意から
96 体系(たいけい)	**システム**。一定の原理で組織された統一的全体。「言語一」
97 対象(たいしょう)	**目標**。**相手**。「受験生一の番組」 ※【対照】=二つを照らしあわせること。また、その違いが際立つさま。「一的な性格」 ※【対称】=釣りあっていること。「左右一」
98 頽廃〔退廃〕的(たいはいてき)	デカダンス。人心が荒れ、**道徳や健全さが失われている**さま。「一なムード」
99 短絡(たんらく)	論理を踏まえず、**原因と結果を安易に結びつけてしまうこと**。「一的な発想」
100 秩序(ちつじょ)	**ルール**。物事の正しい順序。「社会一を乱す」
101 中庸(ちゅうよう)	特定の考えや立場に偏らず、**中正である**こと。行きすぎや不足がなく、常に調和がとれていること。「一を得た意見」
102 月並み(つきなみ)	**ありきたり**なこと。新味がなくて、平凡なこと。「一な表現」 ※正岡子規による俳諧批判から生まれた言葉
103 テーゼ	**判断や主張**。定立。措定。 ※⇔【アンチテーゼ】
104 等閑(とうかん)	**物事を軽視**して、**いい加減に扱う**こと。なおざり。「忠告を一に付す」「一視」
105 投機(とうき)	ギャンブル的に、**当たれば大きい利益を狙って**する行為。「一的な事業」
106 淘汰(とうた)	競争の末、**不適合なものを排除**すること。「自然一される」
107 ドグマ	宗教的な教義。転じて、**独断的な意見や説**。 ※≒【教条的】
108 ニヒリズム	**虚無主義**。実在する真理や、既成の社会的秩序・国家権威などを否定する立場。
109 ノスタルジー	**郷愁**。遠く離れた故郷や、過ぎ去った昔を懐かしむ気持ち。
110 バイアス	**偏見**。偏った見解。「一がかかった見方」
111 パトス	①[哲学]苦しみ・受難。／②瞬間的な**感情**・**感性**。 ※【エートス】=恒常的な性格 ※【ロゴス】=言語・論理・理性
112 パラダイム	ある時代・地域において支配的な**思考の枠組み**。 ※【パラダイムシフト】=「天動説➡地動説」のように、認識や思想、社会全体の価値観などが革命的に変化すること。
113 反芻(はんすう)	一つのことを**繰りかえし考え、よく味わう**こと。「恩師の言葉を一する」 ※牛が、飲みこんだ食物を再びかみ直すことから

語句	意味
(114) ヒエラルキー	(ヒエラルヒー)上下関係によってピラミッド型に序列化された組織。　※中世の封建制度や、今日の軍隊組織や官僚制など
(115) 彼岸(ひがん)	あの世。向こう岸。「一に往生する」　※⇔【此岸(しがん)】
(116) 畢竟(ひっきょう)	つまり。「一するに(=結局のところ)」
(117) 表象(ひょうしょう)	象徴。知覚に基づいて心に思い浮かべる外界のイメージ。「解放された精神を一する造形物」　※【象】=かたち
(118) フェミニズム	女性解放論。性差別を廃止し、抑えられていた女性に権利を拡張しようとする思想。
(119) 敷衍(ふえん)	意味・趣旨などを押し広げて詳しく述べること。また、たとえなどを用いて易しく述べること。「論旨を一して説明する」
(120) 俯瞰(ふかん)	高所から見下ろして眺めること。全体を上から見ること。鳥瞰。「山頂から町を一する」「一図」
(121) 腐心(ふしん)	ある事を成し遂げるために、あれこれと心を使うこと。苦心。「事業再建に一する」
(122) 不遜(ふそん)	思いあがっていること。謙虚でないこと。「一な態度」
(123) 不如意(ふにょい)	思い通りにならないこと。「手元一(=金の工面がつかず、生活が困難なこと)」　※[意の如くならず]
(124) 無聊(ぶりょう)	退屈なこと。心が楽しまないこと。気が晴れないこと。また、そのさま。「一を慰める」「一な(の)日々」
(125) プロレタリアート	労働者階級。無産階級。資本主義社会で、自分の労働力を資本家に売ることにより生活する階級。　※⇔【ブルジョワジー】
(126) 紛糾(ふんきゅう)	物事がもつれて、まとまらないこと。「議論が一する」
(127) 閉口(へいこう)	相手の出方やその時の状況などのために、手の打ちようもなく困らされること。「彼のしつこさには一する」
(128) 便宜(べんぎ)	都合が良いこと。便利の良いこと。また、その人にとって都合の良い処置。「消費者の一を図る」
(129) 萌芽(ほうが)	草木が芽を出すこと。めばえ。転じて、新たに物事が起こりはじめること。きざし。「近代文明の一」
(130) 彷徨(ほうこう)	さまようこと。あてもなく歩き回ること。「夜更けの一」
(131) 放蕩(ほうとう)	酒や女遊びにおぼれること。「一して家を潰す」「一息子」
(132) 墨守(ぼくしゅ)	古い習慣や自説を固く守りつづけること。「旧説を一する」 ※思想家の墨子が、宋の城を楚(そ)の攻撃から九度にわたって守ったという故事から。
(133) ポストモダン	芸術や思想の分野で、近代主義(合理主義・機能主義)を超えようとする傾向。　※【ポストモダン建築】装飾性・折衷性を特徴とする建築(東京都庁舎・フジテレビ本社など)
(134) 牧歌的(ぼっかてき)	牧歌のように素朴で抒情的なさま。「一な風景」
(135) ポピュリズム	大衆迎合主義。大衆の利益や権利、願望を代弁し、大衆の支持を得ようとする政治姿勢。　※信念による政治姿勢ではない

語句	意味
136 凡庸(ぼんよう)	平凡で、優れたところがないこと。「一な作品」
137 未曽有(みぞう)	今までに一度もなかったこと。「一の大災害」　※[未(いま)だ曽(かつ)て有らず]
138 無常(むじょう)	生あるものは必ず滅び、不変・常住のものはないということ。※『平家物語』『徒然草』『方丈記』など、日本の中世文学の重要テーマとなっている
139 名状し難い(めいじょうしがたい)	状態を言葉で言い表すのが難しい。「一美しさに陶然とする」※≒【言いしれぬ】【曰く言い難い】【筆舌に尽くし難い】
140 命題(めいだい)	判断の内容を言語で表したもの。論理学で、真または偽を問う文。　※[Aは、Bである]という形式をとる
141 模倣(もほう)	まねること。似せること。「ローマン様式を一する」「一犯」※【模】＝型　【倣】＝なら・う
142 モラトリアム	知的・肉体的には成人していながら、社会人としての義務や責任を課せられないでいる猶予の期間。また、そこにとどまろうとする心理状態。「一人間」
143 揶揄(やゆ)	からかうこと。「一嘲弄する」
144 有機的(ゆうきてき)	(一つの有機体のように)各部分が密接に関連しあいながら、全体として統一的に機能しているさま。血が通っているさま。「一な構造」　※⇔【無機的】＝生命感がなく、冷たいさま
145 幽玄(ゆうげん)	言葉に表されない、深く優雅な趣。余情。　※日本の文学論・歌論・能楽論の理念
146 ラディカル	(ラジカル)①過激で急進的なさま。「一な行動」／②根本的であるさま「一な原理」
147 理性(りせい)	感情や主観の影響を排して、筋道立てて客観的に思考・判断し行動する能力。真偽、善悪を識別する能力。　※古来、人間と動物を区別する能力として重視されてきた　※⇔【感性】
148 リテラシー	読み書きの能力。　※【メディア・リテラシー】＝情報メディアから主体的に必要な情報を引きだし、真偽を見ぬいて活用する能力。現代では、とりわけ重要な概念となりつつある
149 理念(りねん)	①物事がどうあるべきかについての根本的な考え方。「創業の一」／②[哲学]イデア。
150 吝嗇(りんしょく)	けち。ひどく物惜しみをすること。「一家」

出典リスト

加藤周一『文学とは何か』角川学芸出版／河合隼雄『イメージの心理学』青土社
山下　勲『世界と人間』晃洋書房／香川雅信『江戸の妖怪革命』角川学芸出版
野呂邦暢「白桃」『白桃　野呂邦暢短篇選』《大人の本棚》豊田健次編（２０１１年刊）所収　みすず書房
原　広司『空間〈機能から様相へ〉』岩波書店／土井隆義『キャラ化する／される子どもたち』岩波書店
中沢けい『楽隊のうさぎ』新潮文庫／岩井克人「資本主義と「人間」」『二十一世紀の資本主義論』所収　筑摩書房
栗原　彬「かんけりの政治学」『政治のフォークロア――多声体的叙法』所収　新曜社
馬場あき子「おんなの鬼」『馬場あき子全集〈第十二巻〉エッセイ二』所収　三一書房
梅崎春生「飢えの季節」講談社／橋本　努『ロスト近代――資本主義の新たな駆動因』弘文堂
浜田寿美男『「私」とは何か』講談社／堀江敏幸「送り火」『雪沼とその周辺』所収　新潮文庫
阿部　昭「司令の休暇」『昭和文学全集　第30巻』所収　小学館
柏木　博『視覚の生命力――イメージの復権』岩波書店
齋藤希史『漢文脈と近代日本　もう一つのことばの世界』ＮＨＫ出版
夏目漱石『彼岸過迄』／森　鷗外「護持院原の敵討」岩波書店
井上　靖「姨捨」『井上靖集』《筑摩現代文学大系70》所収　筑摩書房
太宰　治『故郷』『太宰治全集　５』所収　筑摩書房
遠藤周作「肉親再会」『遠藤周作文学全集　第七巻　短篇小説Ⅱ』所収　新潮社
日野啓三「風を讃えよ」『日野啓三短篇選集　上巻』所収　読売新聞社
幸田　文『おとうと』（『幸田文全集　７　おとうと　笛』所収）
山田詠美「眠れる分度器」『ぼくは勉強ができない』所収　新潮文庫
名和小太郎『著作権２・０　ウェブ時代の文化発展をめざして』ＮＴＴ出版
橋爪真弘「公衆衛生分野における気候変動の影響と適応策」
Yusaku Horiuchi and Jun Saito, "Reapportionment and Redistribution: Consequences of Electoral Reform in Japan," American Journal of Political Science, 2003, vol. 47, no. 4, pp. 669-682.
多木浩二『「もの」の詩学　家具、建築、都市のレトリック』岩波書店
呉谷充利『ル・コルビュジエと近代絵画――二〇世紀モダニズムの道程』中央公論美術出版
色川武大「雀」『遠景　雀　復活』所収　講談社

〈写真提供〉
Ｐ１９７サヴォア邸　写真：VIEW Pictures／アフロ

宮下 善紀（みやした よしのり）
京都市出身。横浜国立大学教育学部卒。在学中から漫才師を志すかたわら、学習塾で講師のアルバイトを開始。進路相談を受けていた生徒から「先生は、完全に『先生』が向いているのに、目指さない意味がわからん」と逆に諭され、一念発起。東進ハイスクール、代々木ゼミナール等の教壇に立つ。代ゼミでは、授業満足度アンケート（国語部門）で４年連続全国第１位を獲得。また、『螢雪時代』の「鉄人講師のセンター試験傾向と対策ナビ」を５年間担当。現在は都内の専門予備校、学内予備校を拠点に、現代文・小論文、さらにビジネス文書講座（東進）から、中学受験の個別指導（受験Dr.）まで、幅広く、節操なく「国語」の指導にあたる。本書の元となる初の著書『最短10時間で９割とれる　センター現代文のスゴ技』（KADOKAWA）は、画期的な参考書として非常に高い評価を得た。他著書に『最短10時間で「解き方」がわかる　難関私大現代文のスゴ技』（KADOKAWA）がある。

改訂版（かいていばん）　最短（さいたん）10時間（じかん）で９割（わり）とれる
共通（きょうつう）テスト現代文（げんだいぶん）のスゴ技（わざ）

2024年11月１日　初版発行

著者／宮下（みやした） 善紀（よしのり）

発行者／山下 直久

発行／株式会社KADOKAWA
〒102-8177　東京都千代田区富士見2-13-3
電話 0570-002-301（ナビダイヤル）

印刷所／株式会社加藤文明社

製本所／株式会社加藤文明社

●お問い合わせ
https://www.kadokawa.co.jp/（「お問い合わせ」へお進みください）
※内容によっては、お答えできない場合があります。
※サポートは日本国内のみとさせていただきます。
※Japanese text only

定価はカバーに表示してあります。

ISBN 978-4-04-606665-7　C7081